VIAGGI IN AFRICA ED IN ASIA DALL'ANNO 1803 A TUTTO IL 1807

Ali Bey El-Abbassi

Texte et illustration de couverture : © domaine public
Edition : Culturea (Hérault, 34)
Contact : infos@culturea.fr
Retrouvez notre catalogue sur http://culturea.fr
Imprimé en Allemagne par Books on Demand
Design typographique : Derek Murphy
Layout : Reedsy (https://reedsy.com/)

Dépôt légal : janvier 2023

ISBN : 9791041960699

«Sia lode a Dio, a lui che è altissimo ed immenso, a lui che ne ammaestra coll'uso della penna ad uscire dall'ignoranza! Lode a Dio che ci guida alla vera fede d'Islam, fino al termine del pellegrinaggio, e fino alla Santa Terra.»

«Questo libro è del religioso, principe, dottore, sapiente, scheriff pellegrino, Ali Bey figlio d'Othman principe degli Abassidi, servitore della casa di Dio.»

Dopo molt'anni passati ne' paesi cristiani per apprendere nelle loro scuole le scienze della natura, e le arti utili all'uomo nello stato di società, risolsi infine di tornare ne' paesi musulmani, e nell'atto di soddisfare al sacro dovere del pellegrinaggio alla Mecca, determinai di osservare le costumanze, gli usi e la natura delle contrade che dovrò attraversare, onde ricavare profitto dai travagli di così lungo viaggio, e renderli utili ai miei concittadini ne' paesi che dopo tante fatiche, sceglierò per mia patria.

CAPITOLO PRIMO

Arrivo a Tanger. - Interrogatorio. - Presentazione al governatore. - Stabilimento d'Ali Bey nella sua casa. - Preparativi per andare alla moschea. - Festa natale del profeta. - Marabout. - Visita al Kadi. - Congedo del suo introduttore.

Dietro la presa risoluzione essendo tornato in Ispagna nell'aprile del 1803, m'imbarcai a Tariffa sopra un piccolo battello; ed attraversato in quattr'ore lo stretto di Gibilterra, entrai nel porto di Tanja o Tanger alle dieci ore del mattino, il giorno 29 giugno dello stesso anno, mercoledì 9 del mese vabiul-anal dell'anno 1218 dell'egira.

La sensazione che prova colui che fa la prima volta questo tragitto brevissimo con può paragonarsi che all'effetto d'un sogno. Passando in così corto spazio di tempo in un mondo affatto nuovo, e che non ha veruna rassomiglianza con quello che si è lasciato; si trova come trasportati in un altro pianeta.

In tutte le contrade del mondo gli abitanti de' paesi limitrofi più o meno uniti da reciproche relazioni, amalgamano, per così dire, e confondono i loro idiomi, le usanze, i costumi, talchè si passa gradatamente dagli uni agli altri, e quasi senz'avvedersene; ma questa costante legge della natura non è comune agli abitanti delle due coste dello stretto di Gibilterra, i quali, malgrado la vicinanza loro, sono gli uni agli altri così stranieri quanto un francese lo sarebbe ad un chinese. Nelle nostre contrade del Levante, se noi osserviamo progressivamente l'abitante dell'Arabia, della Siria, della Turchia, della Valacchia, dell'Allemagna, una lunga serie di transizioni ne indica in qualche modo tutti i gradi che separono l'uomo barbaro dall'uomo civilizzato: ma qui l'osservatore tocca in un solo mattino gli estremi della catena della civilizzazione, e nella piccola distanza di due leghe e due terzi, che è la più breve tra le due coste , trova la differenza di venti secoli.

Avvicinandoci a terra si presentarono a noi alcuni Mori; uno de' quali, che mi si disse essere il capitano del porto, avvilupato in una specie di sacco grossolano con cappuccio, colle gambe ed i piedi ignudi, tenendo una gran canna in mano, entrò nell'acqua chiedendo il certificato di sanità, che gli fu dato dal mio padrone; indi rivoltosi a me, fecemi le seguenti interrogazioni.

Capitano. Di dove venite?

Ali Bey. Da Londra, per Cadice.

C. Non parlate voi il moresco?

A. No.

C. Qual è adunque la vostra patria?

A. Aleppo.

C. E dove trovasi Aleppo?

A. Nello Scham (la Siria).

C. Che paese è Scham?

A. È a levante presso la Turchia.

C. Voi dunque siete Turco?

A. Non sono Turco, ma il mio paese è sotto il dominio del Gran Signore.

C. Ma voi siete musulmano?

A. Sì.

C. Avete passaporti?

A. Sì, ne tengo uno di Cadice.

C. E perchè non è di Londra?

A. Perchè il governatore di Cadice lo ritenne, rilasciandomi questo.

C. Datemelo.

Io lo passai al capitano, il quale, dando ordine di non permettere ad alcuno di sbarcare, partì per mostrare il mio passaporto al Kaïd ossia governatore. Questi lo mandò al console di Spagna perchè lo riconoscesse; il quale avendolo dichiarato autentico, me lo rimise per mezzo del vice-console, che venne al mio battello con un Turco chiamato Sid Mohamed, capo dei cannonieri della piazza, che il governatore aveva incaricato di farmi nuove interrogazioni.

Mi furono rinnovate quelle del capitano del porto, dopo di che partirono per farne rapporto al Kaïd.

Ricomparve in appresso il capitano coll'ordine del governatore per il mio sbarco. Scesi tosto a terra facendomi condurre al Kaïd appoggiato a due mori, perchè quando attraversai la Spagna avevo riportata una grave ferita alla gamba, rovesciandosi la mia vettura.

Il Kaïd mi accolse gentilmente: e dopo avermi fatte press'a poco le medesime interpellazìoni, diede ordine di allestirmi una casa, e mi congedò complimentandomi ed offrendomi i suoi servigi.

Dopo averlo ringraziato uscj accompagnato dalle stesse persone, e fui condotto alla bottega d'un barbiere. Il turco che mi aveva interrogato nel battello andò e tornò più volte senza poter procurarsi la chiave della casa destinatami, il di cui proprietario trovavasi in campagna. Sopraggiunta la notte il mio turco recò del pesce da mangiarsi con lui; e quando, dopo avere leggiermente cenato, mi disponevo a coricarmi sopra una specie di banca da letto, alcuni soldati della guardia del Kaïd entrarono bruscamente, ordinandomi di ripassare dal Kaïd.

Io mi alzai e mi lasciai condurre dal Kaïd, il quale aspettavami con impazienza alcuni passi fuori della porta, e mi fece salire in una camera, ove trovavasi il suo segretario, ed il suo kiàhia, ossia luogotenente governatore. Dopo essersi scusato perchè non mi ritenne la mattina, soggiunse gentilmente, che voleva essermi ospite finchè fosse preparata la mia casa. Fummo serviti di caffè senza zuccaro, e più volte ripetute le interrogazioni, e le risposte sul conto mio; e finalmente dopo un'abbondante cena, di cui ne gustai pochissimo, mi coricai come gli altri sullo stesso tappeto.

Nel dopo pranzo dello stesso giorno aveva sbarcata la mia valigia ov'era tutto il mio equipaggio. Ne offrj la chiave alla dogana; dove non si volle nè visitarla, nè ricevere alcuna mancia. Questa valigia mi accompagnò costantemente finchè fui collocato nella mia casa.

All'indomani dopo merenda il padrone del battello mi pregò di chiedere al Kaïd il permesso di caricare alcune vittovaglie: al che mi rifiutai, non credendomi entrato così avanti nell'amicizia del governatore, per azzardare tali inchieste. Si pranzò a mezzogiorno; durante il quale chiesi spesso notizie della mia casa, e non ebbi in risposta che dei sì; ma verso sera mi fu dato avviso ch'era allestita. Presi allora congedo da Kaïd che mi offrì di nuovo i suoi servigi, e fui condotto al nuovo mio domicilio. Vidi entrando ch'erasi consumato l'antecedente giorno ad imbiancarne i muri, ed a coprire il palco di tutte le camere d'uno strato di due in tre pollici di argilla, che non era peranco perfettamente asciutta. Feci molti ringraziamenti per la cura presa nell'abbellire la mia abitazione; ed ammirai nello stesso tempo la rara semplicità dei costumi di un popolo, che s'accontenta di simili case, e che nè pure conosce probabilmente l'uso delle finestre nelle fabbriche delle case; di modo che le camere non ricevono aria e luce che dalla porta d'un andatojo, che mette sul cortile. A fronte di tali inconvenienti, era tale il mio desiderio, o dirò meglio l'estremo bisogno ch'io avevo di trovarmi finalmente solo e pienamente libero, che ricevetti questo cattivo alloggio come un singolare beneficio, e ne approfittai in sul momento. Per questa prima notte mi coricai sopra una stuoja, valendomi della valigia per guanciale, e d'un drappo di lana per ricoprirmi. All'indomani, venerdì primo luglio, feci comperare quanto strettamente occorrevami per gli usi domestici della casa, stuoje per coprire il suolo e parte delle pareti, alcuni tappeti, un materasso , cuscini ed altri utensiglj.

Le usanze de' Marocchini sono in Europa pochissimo conosciute, perchè coloro che vi vengono, sogliono d'ordinario adottare i costumi dei Turchi delle reggenze. Il Marocchino non copre mai le gambe; ha pantoffole gialle assai grossolane, ove non entra il tallone; la veste principale consiste in una specie di grandissimo drappo bianco di lana chiamato hhaïk, entro il quale s'avviluppa dal capo fino ai piedi. Perchè desiderando ancor io di vestire come gli altri, sacrificai le mie calze e le mie gentili pantoffole turche, avvolgendomi in un immenso hhaïk , e lasciando le gambe ed i piedi ignudi, ad eccezione della punta che entrava nelle mie enormi e pesanti papuzze.

Era venerdì, onde dovendo andare alla moschea per le preghiere del mezzogiorno, il mio turco m'istruì intorno al rito del paese alquanto diverso da quello dei turchi. Ma ciò non bastava: mi dovetti far radere nuovamente il capo, quantunque già raso pochi dì prima a Cadice: e quest'operazione fu ancora eseguita dallo stesso turco, la di cui inesorabil mano mi rese la cute tutta rossa ad eccezione d'una ciocca di capelli nel mezzo. Dalla testa passò a radere tutte le altre parti del corpo, non lasciando indizio di quanto il nostro santo profeta proscrisse nella sua legge quale orribile impurità. Mi condusse poi al bagno pubblico ove facemmo il nostro lavacro legale. Ma di ciò più diffusamente altrove, come pure delle cerimonie della preghiera alla moschea ove s'andò a mezzodì, chiudendosi in tal modo le pie opere di questo giorno.

Nella susseguente mattina di sabbato ebbe principio la solennità d'Elmouloud, o natività del nostro Santo profeta, che dura otto giorni; ne' quali vengono circoncisi i fanciulli. Ogni giorno mattina e sera alcuni musici eseguiscono con grossolani e sconcertati stromenti varie suonate innanzi alla porta del Kaïd.

In questi giorni festivi ci siamo recati a fare le nostre divozioni in un eremitaggio, o luogo sacro posto a duecento tese dalla città, ove si venerano le spoglie mortali d'un santo; e serve ad un tempo d'abitazione ad un altro santo vivo, fratello del defunto, che riceve le offerte per l'uno e per l'altro. Vedesi da questo lato della città il cimitero dei musulmani.

Il sepolcro del santo situato nel centro della cappella era ricoperto di varj pezzi di stoffa assai sdruscita tessuta di seta, cotone, oro ed argento. Stavano in un angolo alcuni Mori, che cantavano a coro pochi versetti del Corano .

Poi ch'ebbimo fatte le nostre preghiere al sepolcro si passò a visitare il santo vivo, che vidimo in mezzo ad altri Mori nell'orto vicino alla cappella. Egli ci accolse di buon garbo, ed il mio Turco, dopo esserci seduti, gli raccontò la mia storia. Il santo ringraziava Dio d'ogni cosa, ma in particolare d'avermi ricondotto nella terra de' fedeli credenti. Mi prese per mano, e fatta un'orazione sotto voce, mi pose la sua sul petto, e ne recitò un'altra; dopo di che ci separammo. Quest'uomo vestiva come gli altri abitanti.

Di là si andò a trovare il Fakih Sidi Abderrahmam-Mfarrasch capo dei fakih ossia dottori della legge, imam o capo della principale moschea di Tanger, e Kadi, val a dire giudice del cantone. Questo venerabil vecchio rispettato da tutto il paese, è in grandissima riputazione presso lo stesso Re di Marocco. Ascoltò con molta attenzione il racconto delle mie avventare fattogli dal Turco, e mi accertò del suo parziale attaccamento. Poi ch'ebbi soddisfatto a queste convenienze, desideravo di potermi liberamente occupare intorno ai miei affari, ma l'incessante compagnia del mio Turco riuscivami infinitamente molesta, perchè non poteva travagliare nè giorno nè notte. Avrei voluto tenerlo alcun poco lontano, ma non m'arrischiavo di farlo, temendo che avesse avuto commissione dal Kaïd di osservare da vicino tutti i miei andamenti, nel qual caso i miei tentativi potevano avere disgustose conseguenze. Pure siccome s'incaricava ogni giorno de' miei piccoli affari, e dell'economia domestica, non senza qualche suo profitto, non fu difficile trovare veri o falsi pretesti di mostrarmi scontento di lui; in seguito ai quali essendo venute in chiaro, che non aveva verun appoggio presso il Kaïd, l'allontanai interamente, dopo averlo per altro generosamente regalato, onde compensarlo de' servigi resimi ne' primi giorni, e non inimicarmelo. Ricuperata in tal modo la mia libertà, ripresi le mie favorite occupazioni.

CAPITOLO II.

Circoncisione. - Descrizione di Tanger. - Fortificazioni. - Servizio militare. - Corsa de' cavalli - Popolazione. - Carattere degli abitanti. - Costumi.

Dissi che nella festa del Mouloud i Mori fanno circoncidere i loro fanciulli: operazione che si eseguisce fuori di città nella cappella sopra accennata, operazione solennizzata dalla famiglia del neofito. Per andare al luogo del sacrificio riunisconsi alcuni giovanetti che portano fazzoletti, cinture, ed ancor de' cenci sospesi a canne o bastoni a guisa di stendardi. Tengono dietro a questo gruppo due suonatori di cornamuse, e due o più tamburri, lo che forma una musica insoffribile per chiunque avvezzò l'orecchio alla musica europea. S'avvanza dietro ai suonatori il padre, o il parente più prossimo colle persone invitate, che circondano il fanciullo, montato sopra un cavallo colla sella ricoperta d'una stoffa rossa: ma se il neofito è troppo piccolo vien portato in collo da un uomo a cavallo. Tutti gli altri camminano e piedi. D'ordinario il neofito è vestito di una specie di mantello dì tela bianca, cui viene sovrapposta un'altra tela di color rosso, ornata di varj nastri; ed ha coperto il capo da una fascia di seta. Ai due lati del cavallo vedonsi due uomini con un fazzoletto di seta in mano, con cui scacciano le mosche dal fanciullo e dal cavallo. Chiudono la processione alcune femmine avviluppate negli enormi loro hhaïks.

Quantunque in ogni giorno della festa del Mouloud si circoncidessero dei bambini, aspettai l'ultimo, perchè mi fu detto, che ve n'erano assai più che ne' precedenti; ed in fatti quel giorno tutte le strade erano affollate di popolo e di soldati coi loro fucili.

Io sortj di casa a dieci ore del mattino, ed attraversando la folla per recarmi alla cappella, mi scontrai in accompagnamenti di tre, di quattro, ed ancora di più fanciulli, che venivano condotti assieme alla circoncisione. La campagna vedevasi coperta di cavalli, di soldati, di abitanti, di Arabi, di crocchj, di donne affatto coperte, sedute all'ombra degli alberi, e in certe cavità del terreno, le quali nell'atto che i fanciulli passavano presso di loro mandavano acute strida, indizio presso questa gente d'allegrezza, e d'incoraggiamento.

Arrivato che fui all'eremitaggio, attraversai il cortile

in mezzo ad infinito popolo, ed entrato nella cappella, trovai ciò che ardisco chiamare un vero macello. Stavano presso al sepolcro del santo cinque uomini coperti della sola camicia, e d'un pajo di mutande, colle maniche rimboccate fino alle spalle. Quattro di costoro sedevano in faccia alla porta della cappella, il quinto era in piedi presso alla porta per ricevere le vittime. Due de' seduti tenevano in mano gli stromenti del sacrificio, e gli altri due una borsa o piccolo sacco pieno di una polvere astringente.

Dietro ai quattro ministri eran collocati circa venti fanciulli di età e di colore diverso, i quali, come vedremo ben tosto, avevano pure le loro incombenze: al di là dei fanciulli, ed a non molta distanza, un'orchestra uguale alla già descritta, eseguiva suonate affatto discordi.

Allorchè arrivava un neofito, il padre o la persona che ne faceva le veci, lo precedeva: entrava nella cappella, bacciava il capo al ministro principale, e gli faceva alcuni complimenti. Si conduceva dopo il fanciullo, il quale era preso all'istante da un uomo vigoroso, che rimboccatogli l'abito, lo presentava all'esecutore per il sacrificio. In quell'istante la musica suonava con strepito, ed i venti fanciulli seduti dietro ai ministri mandando alte grida, richiamavano lo sguardo della vittima alla volta della cappella, che indicavano coll'alzar l'indice. Stordito da tanto romore, il fanciullo alzava il capo, ed allora il ministro prendendo la pelle del prepuzio tirava assai forte e con un colpo di forbici la tagliava. In pari tempo un altro gettava la polvere astringente sulla ferita, ed un terzo la copriva di filaccie assicurandole con una benda, indi si portava fuori il fanciullo sulle braccia. Quantunque fatta assai grossolanamente, l'operazione non durava più di mezzo minuto. Lo schiamazzar de' giovanetti, ed il frastuono della musica m'impedivano d'udire le grida delle vittime, le quali esprimevano coi loro gesti l'acuto dolore che soffrivano. Ogni fanciullo veniva posto in appresso sul dorso di una femmina; che lo riportava a casa coperto del suo hhaïk, ed accompagnato dal corteggio di prima.

Presso ai neofiti campagnuoli vidi molti militari e beduini maneggiare con mirabile destrezza i lunghissimi loro fucili, che tiravano nelle gambe gli uni degli altri in segno d'amicizia.

Udj raccontare da alcuni cristiani, che taluno di loro

visitando i paesi Mussulmani, fecero i loro viaggi con piena sicurezza, coll'addottare le loro costumanze; ciò che io non posso credere, a meno che non siansi preventivamente assoggettati alla circoncisione, della qual cosa sogliono informarsi tosto che vedono uno straniero; e quando io giunsi a Tanger, ne fecero inchiesta ai miei domestici ed a me medesimo.

La città di Tanger offre dalla banda del mare una prospettiva abbastanza vaga. La sua figura d'anfiteatro, le case bianche, quelle de' consoli regolarmente fabbricate, le mura della città, l'alcassaba, ossia castello, che la signoreggia dall'alto d'un colle, la baja vasta e circondata di ridenti colline, formano tutt'insieme un complesso di cose che illudono il viaggiatore: illusione che sparisce all'istante che entra nell'interno della medesima, ove si vede circondato da tutto quanto può riunire assieme la più ributtante meschinità.

Tranne la strada principale passabilmente larga, e che attraversa alquanto tortuosamente la città da levante a ponente, tutte le altre sono in modo anguste ed irregolari, che tre persone di fronte vi passano a stento. Bassissime sono quasi tutte le case, talchè il passaggiero può toccarne colla mano il tetto affatto piano, e coperto d'argilla. Le case dei consoli sono abbastanza ben fatte, ma quelle degli abitanti hanno appena qualche finestra, o piuttosto pertugio d'un piede quadrato al più, e moltissime uno spiraglio largo uno o due pollici, ed alto un piede. La principale strada vedesi in alcuni luoghi mal selciata, altrove abbandonata alla semplice natura ed ingombrata d'enormi sassi, che niuno si prende la cura di appianare.

Le mura della città sono ridotte ad un estremo stato di deperimento. Sono qua e là interrotte di torri rotonde o quadrate, e dalla banda di terra circondate da larga fossa ugualmente in rovina, e ridotta a coltura.

Sulla diritta della porta a mare sonovi due batterie l'una quasi a fior d'acqua di quindici pezzi di cannone, l'altra più alta di undici. La seconda batte il mare di fronte, ed ha pure una piccola piattaforma con due cannoni per difesa della porta, l'altra batte ugualmente il mare e la spiaggia. Altri dodici cannoni trovansi sopra la più elevata parte delle mura. Tutti questi cannoni di vario calibro sono di fabbrica europea, ma i carri sono del paese, e tanto malfatti, che quelli dei cannoni da 12 a 24 non reggerebbero ad un quarto d'ora di fuoco. Due informi tronchi con tre o quattro traversi, un debolissimo asse e due ruote formate di grosse tavole quasi prive di ferramenti compongono il carro: è tutto coperto di color nero, ma lo credo di legno di quercia. Nella parte orientale della spiaggia sonovi tre altre batterie.

Le maggiori navi ch'io vedessi entrare in porto non eccedevano la portata di 250 tonnellate, ma quantunque la baja sia alquanto esposta ai venti di levante, la sua situazione è molto bella; e sono di sentimento che vi si potrebbe formare con piccolissima spesa un eccellente porto.

Dalla banda di terra Tanger non ha altra difesa che il muro e la fossa rovinati, senza cannoni. Al nord il muro della città si riunisce a quello del vecchio castello alcassaba, posto sopra un'eminenza, e dove trovasi un sobborgo ed una moschea.

E perchè i Mori non conoscono affatto il servizio militare, lasciano d'ordinario le loro batterie senza guardia. Soltanto presso alla porta del Kaïh trovasi un piccolo corpo di guardia, ed un altro corpo di guardia viene rappresentato, quantunque effettivamente non esista, da alcuni fucili posti a porta a mare, ove al più alcune volte si vedono due o tre soldati. Ogni giorno in sul far della sera, mentre il Kaïh passeggia o sta seduto sulla spiaggia, alcuni soldati fanno la ceremonia di mutar la guardia; ma poco dopo tutti ritornano alle loro case. L'avviso della ritirata vien dato alle dieci della sera con un colpo di fucile tirato in su la piazza; ove nello stesso tempo viene collocata una sentinella, la quale ogni cinque minuti dà la parola ad un'altra posta alla porta a mare, gridando assassa, cui l'altra risponde alabata. I Mori fanno le loro fazioni sempre seduti, e d'ordinario disarmati, lo che è comodo assai.

Nelle guerre d'Affrica il fantaccino non ha veruna considerazione, di modo che le forze d'ogni potentato viene calcolata sul numero de' loro cavalli, e per tale ragione i Mori si esercitano principalmente nel cavalcare. A Tanger fannosi tali esercizj lungo la spiaggia, facendo correre i cavalli sull'arena ancor bagnata dalla bassa marea. Con questi continuati esercizj si rendono eccellenti cavalieri. Adoperano selle assai pesanti, con arcioni altissimi assicurati sul cavallo da due cinghie che serrano il cavallo, una passandogli sotto le coste, e l'altra obbliquamente per i fianchi sotto il basso ventre. Hanno cortissime staffe per montare, ed i loro speroni sono formati da due ferri appuntati lunghi circa otto pollici. Con questo equipaggio, e con un morso durissimo martirizzano talmente i poveri cavalli, che frequentemente spargono sangue dai fianchi e dalla bocca.

Essi non conoscono che una sola manovra: tre o quattro cavalieri, e talvolta anche più, partono assieme mettendo altissime grida, e presso alla metà della corsa scaricano il loro fucile senza unione di tempo o di luogo. Talvolta l'uno corre dietro l'altro sempre gridando, e nell'atto di raggiungerlo scarica il suo colpo tra le gambe del cavallo.

Nè solo trattano duramente adoperandoli i loro cavalli, ma non curansi pure di metterli al coperto; lasciandoli per lo più in aperta campagna, in un cortile con i piedi d'avanti assicurati ad una corda tirata orizzontalmente tra due pivoli, senza testiera, e senza cavezza. Gettano loro della paglia in terra, e danno un poco d'orzo in un piccolo sacco che viene sospeso alla loro testa. Per lo più danno la paglia al cavallo due o tre volte al giorno, e soltanto una volta la biada verso sera. Quando viaggiano non sogliono fermarsi finchè non giungano al luogo destinato a passarvi la notte; e non mangiano prima di sera. Avvezzati ugualmente all'ardente sole della state, ed alle continue pioggie dell'inverno, si conservano grassi e sani, lo che mi persuaderebbe che il reggime degli Affricani debba preferirsi a quello degli Europei, che rende i cavalli soverchiamente dilicati, e poco destri ne' grandi movimenti militari; se altronde non si dovesse aver riguardo alla diversità dei climi.

Veggonsi a Tanger molti cavalli, alcuni muli, e pochissimi asini; e questi ultimi sono generalmente assai piccoli, come anco i muli. Di cavalli se ne trovano d'ogni grandezza, ma non già della maggiore: sono vivaci, e ben disposti, benchè male ammaestrati per colpa de' cavalieri che non conoscono l'arte. Il pelo bianco e cenericcio è il più comune, ed è quello de' cavalli più robusti; i più belli per altro sono quelli di color bajo-oscuro, o balzano.

La popolazione di Tanger ammonta a circa dieci mille uomini, soldati, mercanti spicciolati, cattivi artigiani, poche famiglie agiate, e pochi ebrei.

L'infingardaggine è il distintivo carattere di questi abitanti, i quali sogliono rimanersi quasi tutto il giorno seduti o stesi al suolo nelle strade, e nei luoghi pubblici. Sono loquaci assai, e ceremoniosi in modo, che a stento ne' primi giorni potevo sbarazzarmene: ma avendo in seguito appreso a rispettarmi, si ritiravano al primo segno che loro ne facessi, e mi lasciavano attendere alle mie faccende.

L'abito degli abitanti riducesi ad una camicia con maniche estremamente larghe, un enorme pajo di mutande di tela bianca, un giubboncello di lana, o corto sopr'abito di seta, ed una berretta rossa appuntata. Sogliono i più avvolgersi intorno alla berretta una mussola o tela bianca, e formarne il turbante; il hhaïk li avviluppa interamente e gli cuopre ancora il capo con una specie di grande cappuccio; hanno talvolta un cappotto bianco sopra il hhaïk, e le pappuzze o pantofole gialle. Altri ancora invece del giubboncello portano un caftan, o lunga veste abbottonata sul davanti da cima a fondo, con maniche assai larghe, ma meno lunghe di quelle dei caftan turchi. Tutti poi adoperano una cintura di lana o di seta.

Le donne escono di casa sempre coperte in modo, che a stento si vede un occhio in fondo ad una enorme piega del loro hhaïk: calzano grandi pappuzze rosse, e, come gli uomini, non usano calze. Se portano un fanciullo, o qualche altra cosa, la tengono sulle spalle, onde le si vedono le mani.

I fanciulli non hanno che una semplice tonaca, ed una cintura.

Il bournous sopra il hhaïk è l'abito di cerimonia per i tables ossia letterati, gl'iman o capi di Moschea, ed i fakihs dottori della legge.

CAPITOLO III.

Udienze del governatore. - Del Kadi. - Viveri. - Matrimonj. - Funerali. - Bagni pubblici.

Il kaïd o governatore suole dar udienza al pubblico ogni giorno, e rende quasi sempre giustizia con sentenze verbali. Talvolta le due parti si presentano assieme, e talvolta soltanto la parte riclamante: in tal caso il kaïd l'autorizza a condurre il suo avversario; lo che viene eseguito senza incontrare opposizione, perchè la menoma resistenza verrebbe severamente castigata.

Il kaïd, adagiato sopra un tappeto ed alcuni cuscini, ascolta le parti rannicchiate presso alla porta della sala. La discussione incomincia, e si prosiegue talvolta parlando tutti assieme, il kaïd, ed i litiganti, un quarto d'ora o più, senza potersi intendere, finchè i soldati che stanno sempre in piedi dietro alle parti impongono loro il silenzio a forza di pugni: allora il kaïd pronuncia la sentenza, e nell'istante medesimo i litiganti vengono cacciati dalla presenza del giudice a replicati colpi dai soldati, e la sentenza qualunque siasi s'eseguisce irrevocabilmente. La è una circostanza veramente notabile, che chiunque presentasi al kaïd per essere giudicato, debba dopo il giudizio essere rimandato dai soldati che vanno gridando Sirr, Sirr, corri, corri. Talvolta il kaïd dà udienza sulla porta della casa, seduto sopra una seggiola, in mezzo al popolo affollato.

Non molto dopo il mio arrivo a Tanger assistetti ad una di queste udienze. Un giovanetto si fece innanzi al kaïd mostrando una leggier graffiatura al corpo, e chiedendo giustizia: fu condotto il colpevole che venne condannato a trentun colpi. Pronunciata appena la sentenza, fu steso a terra da quattro soldati, e gli furono passati i piedi entro un laccio a nodo corrente attaccato ad un bastone, indi un soldato gli scaricò sulla pianta dei piedi trentun colpi con una doppia corda incatramata: finita l'operazione venne cacciato fuori dall'udienza il reclamante con replicati colpi. Io desideravo di chieder grazia pel condannato, ma non osai di farlo per timore che la mia domanda venisse mal accolta. Seppi poscia, che in ogni caso simile avrei potuto ottener grazia a favor del reo dopo aver ricevuto dieci o dodici colpi. D'ordinario il paziente suole gridare ad ogni colpo Allah! Dio; ma taluni invece di gridare Allah, contano con fierezza i colpi l'un dopo l'altro.

Rarissime volte si presentano istanze al kaïd di quattro o sei linee; e perciò tutti gli attrezzi del suo segretario riduconsi ad un piccolo calamajo di osso con una penna di canna, e pochi pezzettini di carta piegati per mezzo, e preparati per ricevere qualche ordine, ciò che pure accade rarissime volte. Il segretario non ha nè registro nè archivio; cosicchè le carte che gli si consegnano vanno subito a male, non tenendo verun registro degli ordini che riceve.

Il buono o il cattivo senso del kaïd è l'unica norma de' suoi giudizj, e tutt'al più qualche precetto del Corano. Suole pure alcuna rarissima volta accadere ch'egli consulti i fakihs, o rimetta le parti al kadi, ossia giudice civile.

L'attuale governatore di Tanger chiamasi Sid Abderrahman Aschasch; era semplice mulattiere; non sa nè leggere, nè scrivere, e ne pure far il suo nome; ma non è privo di naturali talenti, e di certa quale ardita vivacità. Non trovandosi a portata di sentire quanto l'istruzione sia utile all'uomo, non la procura per sistema ai suoi figliuoli, che, come il padre non sanno leggere nè scrivere. Al presente egli possiede molti averi a Tetovan, città subordinata al suo governo, ove dimora la sua famiglia, risiedendo egli alternativamente quando in una e quando nell'altra città, avendo un luogotenente che ne fa le veci in sua assenza.

Alquanto meno tumultosi sono i giudizj del kadi, comechè si emanino press'a poco colle stesse formalità. Le decisioni appoggiansi ai precetti del Corano, ed alla tradizione in tutto ciò che non è contrario alla volontà del sovrano. Dopo il giudizio pronunciato dal kaïd o dal kadi non rimane alle parti che il ricorso al Sultano medesimo, non essendovi tribunale intermedio.

I viveri sono a Tanger assai abbondanti, ed a vil prezzo, e specialmente la carne, che è molto pingue. Vi si fa del pane bellissimo, e non è pur cattivo il più comune. A fronte della poca cura con cui conservansi gli acquedotti, l'acqua si mantiene buona. Non vi si trova alcuna osteria, e altro venditore di vino; ed i consoli sono costretti di provvederlo in Europa.

Il terreno produce eccellenti frutti, ed in ispecie fichi, popponi, uve ed aranci di Tetovan.

Il principal cibo degli abitanti di tutto il regno di Marocco è il conscoussou, pasta composta di sola farina ed acqua, che si va impastando finchè sia resa durissima; ed allora viene divisa in pezzi cilindrici della grossezza d'un dito, che poi riduconsi in grani assotigliando successivamente questi pezzetti, e dividendoli con molta destrezza colle mani. Questa pasta per ultimo così divisa si secca esponendola sopra le salviette al sole, od anche semplicemente all'aria. Il couscoussou si fa poi cuocere col burro in una specie di pentola col fondo pertugiato a piccoli pertugi, e posta entro una altra pentola alquanto più grande, in cui i poveri non pongono che acqua, ed i ricchi carni e polli. Posta a fuoco la doppia pentola, il vapore che s'alza dalla inferiore entra pei pertugi, e fa cuocere il couscoussou posto nel pentolino. La carne cotta nella maggior pentola viene posta in un piatto, circondata e coperta di couscoussou, formando così una specie di piramide senza salsa, o brodo. I grani del couscoussou sono sciolti: se ne fanno d'ogni genere dal più fino, come un granello d'orzo macinato, fino al più grosso come un grano di riso. Io risguardo quest'alimento come il migliore di tutti per il popolo, perchè facile ad aversi, ed a trasportarsi, perchè è sostanzioso assai, sano ed aggradevole al palato.

Ogni musulmano mangia colle dite della destra, non adoperando nè forchetta nè coltello, perchè anche il Profeta mangiava così. Tale costumanza che ributta i cristiani, non ha per altro nulla d'incomodo, o di disgustoso. Dopo tante legali abluzioni che il musulmano deve fare ogni giorno, nelle quali, come vedremo ben tosto, si lava le mani; egli le lava altresì qualunque volta vuol mangiare, e dopo aver mangiato, talmente che esclude perfino il sospetto d'ogni sozzurra. Altronde poi niente è più comodo del prendere i cibi colle proprie dita. Rispetto al couscoussou suol pigliarsi riunendolo in grumi, che s'accostano alla bocca.

A Marocco per altro non mancano cucinieri molto esperti, che sanno fare varie squisite vivande di carne, di polli, di uccelli, di pesci, di legumi e di erbaggi. Ma perchè la legge non permette di mangiar sangue, conviene adoperare molta circospezione. Rispetto ai volatili ed al pesce non si mangiano che dopo avere avuta la precauzione di scannarli ancora vivi, affinchè tutto il sangue sorta loro dal corpo. I ricchi abitanti sogliono avere delle schiave negre, che hanno opinione d'essere eccellenti cuciniere.

Per mangiare si ripone il piatto sopra una piccola tavola rotonda senza piedi, di venti a trenta pollici di diametro, con un bordo alto cinque in sei pollici: la tavola vien coperta da una specie di paniere conico fatto di vinchi, oppure di foglie di palma, talvolta di varj colori. A Marocco tutti i piatti hanno la figura di cono rovesciato o troncato, sicchè la base del piatto viene ad essere strettissima. Talvolta pongonsi sulla medesima tavola intorno al piatto alcuni piccoli pani assai teneri, e ciascuno piglia a pezzetti il pane che gli sta innanzi. Ogni piatto viene servito sopra una diversa tavola sempre coperta, onde sonovi tante tavole quanti sono i piatti. Costumasi ancora di presentare talvolta una grande tazza piena di latte agro con molti cucchiai di legno assai grossolani lunghi e profondi, coi quali i convitati prendono di quando in quando, e taluno ancora ad ogni boccone di carne o di couscoussou, un poco di questo latte. Siedono in terra, o sopra tappeti intorno alla tavola prendendo tutti la vivanda dallo stesso piatto; ma quando i convitati sono molti, vengono servite più tavole, in modo che ogni tavola abbia intorno cinque o sei persone sedute e colle gambe incrocicchiate.

I musulmani avanti di porsi a tavola invocano la divinità dicendo Bism-Illah, in nome del Signore; e terminato il pranzo, lo ringraziano coll'espressione Alhmado-Liliahi, sia lode al Signore! Le stesse invocazioni sogliono farsi prima e dopo di bevere; e le ripetono qualunque volta intraprendono qualunque affare. Ma se hanno sempre sulla bocca il nome di Dio; non sempre ne hanno il rispetto in fondo al cuore. Uscendo di tavola si lavano le mani, la bocca, e la barba. Al quale oggetto si fa loro innanzi un domestico, od uno schiavo, con un piatto di rame o di majolica nella mano sinistra, una brocca nella destra, ed un asciugatojo sulla spalla sinistra. Il domestico passa successivamente dall'uno all'altro convitato; questi stende la mano sopra la brocca senza toccarla, ed il domestico gli versa l'acqua con cui si lava le mani, indi la bocca e la barba; e termina asciugandosi col drappo che sta sulla spalla del domestico. In casa delle persone più ricche un domestico versa l'acqua, ed un altro presenta l'asciugatojo. Il costume di asciugarsi col tovagliolo in tempo del pranzo non è molto comune. Il pranzo termina sempre con una tazza di caffè.

Anticamente facevasi a Marocco grandissimo uso di caffè prendendosi in qualunque ora come costumasi in Levante; ma avendo gl'Inglesi regalato del te ai Sultani, e questi ai loro cortigiani, in breve tempo questa nuova bevanda si comunicò dagli uni agli altri fino alle ultime classi della società: di modo che, proporzionatamente consumasi più te a Marocco che in Inghilterra, non essendovi musulmano per povero ch'egli sia che non abbia te da offrirne in qualunque ora a coloro che vengono a fargli visita. Suole prendersi assai carico, pochissime volte col latte; e lo zuccaro si pone nel vaso. I Marocchini ricevono questi generi dagl'Inglesi, e ne importano altresì molto essi medesimi da Gibilterra.

La legge permette ai Mussulmani d'avere quattro mogli, e quante concubine possono mantenere; le ultime devono essere comperate o prese in guerra, o avute in dono. Le altre si hanno in forza d'un contratto stipulato tra il pretendente o i suoi parenti, ed i parenti della pretesa, in presenza del kadi e dei testimonj; e l'unione si fa senza alcuna ceremonia religiosa, onde il matrimonio è puramente civile. È per altro cosa notabile che malgrado la mancanza della sanzione religiosa, che altre sette religiose danno a questo contratto, le leggi della castità conjugale, e la pace domestica, trovinsi d'ordinario meglio mantenute nelle famiglie musulmane, che in quelle delle altre religioni.

Dopo la stipulazione del contratto la famiglia dello sposo manda d'ordinario a quella della sposa alcuni regali. Questa ceremonia si eseguisce con molta pompa in tempo di notte accompagnando i regali con molti lampioni, candele, fanali, con una compagnia di quei cattivi musici di cui si è già parlato, e da molte donne che mandano acutissime voci.

La novella sposa si conduce alla casa dello spose con molta ceremonia, e con un corteggio press'a poco uguale a quello che accompagna i fanciulli alla circoncisione. La prima volta che m'avvenni a Tanger in questo spettacolo fu una mattina alle sei ore. La sposa era portata sulle spalle da quattro uomini in una specie di paniere cilindrico coperto al di fuori da una tela bianca, e con sovrapposto un coperchio di figura conica dipinto a varj colori, come quelli del panierino di cui cuopresi la tavola da mangiare: ogni cosa era così piccola che non pareva possibile che potesse contenere una donna; e questo paniere aveva perfettamente l'apparenza d'un piatto di vivande che si mandasse allo sposo. Questi, ricevendola, alza il coperchio, e vede la prima volta la futura compagna.

Quando muore un musulmano è posto sopra una barella, e ricoperto col suo hhaïk, e talvolta con fronde d'alberi, indi viene portato sulle spalle da quattro uomini, ed accompagnato da molte persone che camminano a gran passi senza alcun ordine, e senza verun segno di cordoglio. Il convoglio nell'ora della preghiera del mezzogiorno si reca alla porta d'una moschea; e terminata la preghiera l'imam avvisa che trovasi un morto alla porta: allora tutti si alzano per pregare in comune riposo all'anima del fedele credente; ma il corpo non viene introdotto nella moschea.

Terminata questa preghiera il convoglio riprende la strada, ed il corteggio cammina precipitosamente perchè l'angelo della morte aspetta l'individuo nel sepolcro per sottoporlo ad un interrogatorio, e per pronunciare il giudizio che deve decidere della sua sorte: ad ogni istante i portatori si cambiano desiderando tutti di prendere parte a quest'opera di misericordia. Lungo il cammino cantano tutti alcuni versetti del Corano sull'aria rè, ut, rè, ut.

Arrivati al cimitero depongono, dopo una breve preghiera, il cadavere nella fossa senza cassa, e steso col volto alquanto rivolto verso la Mecca, gli fanno portare la mano destra all'orecchio dello stesso lato, poscia gettando della terra sul corpo, il corteggio ritorna alla casa del defunto per complimentarne la famiglia. In questo tempo, come pure all'istante dell'agonia, e per otto giorni consecutivi, le donne della casa riunisconsi per fare urli spaventosi, che durano gran parte del giorno.

Schifosi sono i pubblici bagni di Tanger, e d'un aspetto assai meschino. Entrando per una piccola porta si scende per un'angusta scala, al di cui sinistro lato vedesi un pozzo dal quale si attinge l'acqua per servigio dello stabilimento: dall'altra banda presso ad una specie di vestibolo avvi una piccola camera. In questi due luoghi si depongono e si ripigliano gli abiti. Alla diritta del vestibolo trovasi una camera che ha l'aspetto di cantina così poco illuminata, che all'entrarvi si crederebbe affatto oscura; e su quel suolo sempre coperto d'acqua si sdrucciola con molta facilità. I più vi prendono i bagni con un secchio d'acqua calda, ed un altro di fredda, che riducono alla temperatura che loro piace, e che gettansi poc'a poco sul corpo colle mani, dopo aver adempiute le ceremonie dell'abluzione.

Coloro, che vogliono prendere i bagni a vapore, entrano in una camera posta alla sinistra, lastricata a scacchi di pezzi quadrati di marmo bianco e nero: il palco a volta ha tre lucerne circolari del diametro di quasi tre pollici coperte di vetro di diversi colori, lo che produce un buon effetto per la luce. La porta di questa camera sta sempre chiusa, e dicontro alla medesima avvi un piccolo recipiente che riceve l'acqua calda da un tubo; la fredda trovasi ne' secchi. Entrando in questa camera s'incontra un'aria soffocante che difficulta la respirazione, ed in meno d'un minuto il corpo trovasi ricoperto d'acqua, che riunendosi in grosse goccioline, scorre lungo la cute, ed un abbondante sudore tutto vi ricuopre da capo ai piedi. Si siede nel lastricato talmente caldo, che da principio sembra insopportabile, ma che presto si dissipa: si resta in questa camera seduti finchè ognun vuole; ed in appresso si fanno le abluzioni, e si lava, o si bagna il corpo. L'uscita riesce incomodissima perchè non avvi alcuna camera ove trattenersi alcun tempo prima d'esporsi all'aria libera.

Quando entrai la prima volta in questo bagno soffersi assai per l'eccessivo calore che vi si conserva; ma non tardai ad avvezzarmi, e ne riconobbi la salubrità: pure avrei desiderato maggior comodo, e meno calore. Qualunque volta v'andai, ho sempre trovato otto, dieci, ed anche più persone ignude, cosa poco decente.

Il prezzo di questi bagni monta ad una mouzouna, che gli Europei del paese chiamano blanquille, e che può rispondere press'a poco a due soldi di Francia.

Per conservare il caldo, ed il vapore del bagno, vi è un forno sotto la camera, che riscalda il pavimento; indi una caldaja dalla quale per mezzo d'un tubo che con una chiave s'apre e si chiude, a piacere si attinge l'acqua: avvi pure un altro tubo che conduce il vapore dell'acqua della caldaja. Questo vapore cresce a dismisura quando versandosi l'acqua sul pavimento caldo, ed alzandosi in vapori, carica l'atmosfera d'assai maggiore umidità, e produce sulle persone che entrano i già descritti effetti.

CAPITOLO IV.

Architettura. - Moschea. - Musica. - Divertimenti. - Grida delle donne. - Scienze. - Santi.

L'attuale architettura araba mogrebina, o occidentale, non ha veruna rassomiglianza coll'architettura antica o moderna. Lungi dal trovare nell'attuale architettura mogrebina l'eleganza e l'ardire dell'antica architettura araba, si riconosce in tutte le sue opere il carattere della più grossolana ignoranza. Gli edifici sono fabbricati senza alcun piano preventivo, e quasi all'azzardo, con tanta ignoranza delle regole elementari dell'arte, che in alcune ragguardevoli case ho trovato la scala senza lume affatto; per cui dovevano tenersi sempre accesi alcuni fanali. Generalmente i vestiboli, gli atrj, le scale, sono meschinissimi anche nelle case della più grande estensione.

Ogni casa ha sempre la medesima forma, una corte quadrata con un andatojo da due, tre, ed anche da quattro lati. Avvi una camera assai stretta paralella all'andatojo, e lunga ugualmente; le camere non

42

hanno d'ordinario alcuna apertura o fenestra, fuorchè la porta di mezzo che comunica coll'andatojo; e da ciò procede che le abitazioni sono poco ariose. I tetti sono piani, e coperti di uno strato d'argilla, come il suolo delle camere.

I muri sono fatti di sassi con cemento di calce, o di argilla, ma il più delle volte non sono che di terra grassa battuta e bagnata. Per fabbricare in questa maniera alzano delle tavole perpendicolari da ogni lato per contenere le due superficie del muro, e gettano nel centro delle medesime terra impastata coll'acqua, cui vien data la consistenza della pasta; e due uomini la battono colla mazza. Mentre lavorano cantano ordinariamente accompagnando il fracasso del loro stromento. E perchè riesce difficile il trovare grandi travi, sono costretti di far le camere ristrette onde poter costruire il tetto col piccolo legname del paese. Su questa cavriata piana si pone da prima uno strato di canna, indi un piede di terra coperta di argilla; pesante coperto che schiaccia la fabbrica, e dura pochissimo.

Le porte sono fatte assai goffamente. La maggior parte delle serrature di Tanger sono di legno; ed io le descriverò minutamente in una memoria che pubblicherò su quest'argomento.

L'uso delle latrine è quasi sconosciuto, e vi si supplisce con un recipiente posto nel cortile rustico. Nè l'architettura delle moschee è più elegante di quella delle case. La principale è composta d'un cortile circondato da archi, di cui la sola linea paralella trovasi in faccia alla porta. La facciata è interamente unita, e la torre è posta in un angolo a sinistra. Bassissimi sono gli archi ed il tetto, e tutto il lavoro di legname assai mal fatto resta allo scoperto. Nel totale la costruzione di quest'edificio è meschinissima. Avendo osservato che nella moschea non eravi acqua, feci costruire a lato alla porta una gran vasca solidamente attaccata, ed un vaso per bere; e lasciai allo stabilimento una dotazione pel mantenimento della fontana.

In una camera posta sopra la moschea alloggia un figliuolo del Kadi incaricato della custodia di un gran pendolo, e di un altro assai più piccolo, che servono ad indicare le ore della preghiera; ma perchè a regolare la loro marcia col sole quest'uomo non aveva che un quadrante inesatto, così non poteva saper l'ora che per approssimazione, quindi finchè io rimasi a Tanger gli davo l'ora per i penduli, e per conseguenza l'istante delle preghiere, e le chiamate dalla torre venivano regolate dal mio orologio.

La moschea chiamasi in arabico El-jamaa, ossia luogo dell'assemblea. In fondo alla moschea vedesi una nicchia quasi nella direzione della linea che guarda la Mecca, entro la quale si pone l'imam, cioè il direttore della pubblica preghiera. Dalla banda sinistra avvi una specie di tribuna formata da una scala di legno su cui sale l'imam ogni venerdì avanti la preghiera del mezzogiorno per fare la predica al popolo. Nella grande moschea trovasi un cassone chiuso a chiave, entro al quale si custodiscono il Corano, e gli altri libri religiosi. Sonovi ancora due scranne di legno ove sedevano i fakihs quando facevano la lettura al popolo. Alla sommità di molti archi stanno sospese alcune lumiere, ed alcune lampade di cattivo vetro verde, disposte senz'ordine e senza simmetria. La maggior parte del suolo è coperto di stuoje, ed in un cortile dietro la moschea vedesi un pozzo d'acqua assai cattiva, che serve alle abluzioni. Ma io ritornerò più opportunamente a parlare della religione o del culto quando descriverò la città di Fez.

La musica di Tanger ha ben poche cose soffribili anche dalle meno delicate orecchie: due suonatori con una piva ancora più discorde delle loro orecchie, che volendo suonare all'unissono con istrumenti che non s'accordano, non hanno nè tempo nè movimento uguale, nè nota scritta che li contenga, e che tutto hanno imparato a memoria; sono il vero ritratto dei musici di Tanger.

Accade spesse volte che uno dei musici strascini l'altro a suo capriccio, obbligandolo di tenergli dietro alla meglio; lo che produce un effetto precisamente somigliante a quello d'un cattivo organo che si sta accordando. Malgrado così spaventosa melodia, tale è la forza dell'abitudine, che poc'a poco quasi m'avvezzai a questo carivari, e feci anzi sì fatti progressi in questa musica, che giunsi a scifrare alcune delle arie più accreditate, ed a poterle notare coi segui della musica europea. Queste arie, cui difficilmente può aggiungersi un basso, sono quasi sempre in tuono di re.

Sembra impossibile che questi suonatori di pira possano vivere lungamente a fronte dello sforzo continuo ch'essi fanno suonando il loro istromento; le loro guancie vedonsi estremamente enfiate, e malgrado un cerchio di cuojo che le ricopre due o tre pollici intorno alla bocca, gettano molta saliva, ed il loro ventre irrigidito per la violenta espansione del fiato che devono aspirare e respirare, dimostra quanta fatica essi sostengano.

Ho già fatto osservare che questi stromenti sono sempre accompagnati da un grosso tamburo , il di cui rauco suono si fa sentire ad intervalli di quattro o cinque minuti, ed anche più spesso, tranne in una specie d'aria nella quale marca colpi regolari assai più vicini.

I musici accompagnano d'ordinario i matrimonj, le circoncisioni, i complimenti di felicitazione, e le feste di Pasqua; ma non sono ricevuti nelle moschee, e l'arte loro è straniera ad ogni atto del culto. Essi temono, come facetamente osservò un viaggiatore, di risvegliare l'Eterno.....

A Tanger non vi sono nè divertimenti pubblici nè private società. Il Moro ozioso esce la mattina di casa, si pone a sedere in terra sulla piazza e in altro luogo pubblico, ove altri abitanti sopraggiungono per azzardo e fanno lo stesso, e per tal modo formano alle volte dei circoli ove stanno parlando tutto il giorno.

Finchè io rimasi in quella città, la mia casa fu ogni sera l'unico luogo di riunione dei fakihs, i quali venivano a prendere il te. I consoli e gli altri Europei unisconsi tra di loro, formando una specie di repubblica affatto segregata dai musulmani, dividendo fra di loro le notti per le adunanze e le conversazioni.

Alle donne, assolutamente separate dalla società degli uomini, non altro rimane a farsi ne' giorni di festa, che mandare a prova, di sotto alle molte vesti onde sono coperte, acute e penetranti voci. Quando un fanciullo ha terminati i suoi studj di leggere e scrivere, nel che consiste tutta la scienza d'un moro, viene condotto per le strade a cavallo colla medesima solennità delle circoncisioni, e le feste, che dà in tale occasione la sua famiglia, sono sempre accompagnate dai penetranti gridi delle femmine. Esse gridano per la presenza del re, e gridavano per me poich'ebbi acquistata molta riputazione. Essendosi ridotto ad arte, e risguardandosi come prova di talento il saper fare spaventose grida, le donne approfittano d'ogni occasione per mostrare la loro abilità, sforzandosi di sorpassar l'une l'altre non solo coi tuoni più acuti, ma col saper più lungo tempo sostenerli. Talora io le udiva due o tre ore dopo mezza notte gettare acutissime voci mentre passavano in truppa innanzi alla mia casa.

La lettura è difficilissima, sia per la forma arbitraria dei caratteri scritti, quanto per la mancanza di vocali e di segni ortografici; difetti sempre crescenti, finchè non s'introduca una stamperia. Per ciò gli abitanti di Tanger trovansi immersi nella più stupida ignoranza. Una sola persona io trovai in questo paese, la quale aveva udito parlare del movimento della terra. Riferiscono mille stranezze intorno ai pianeti, alle stelle, al movimento dei cieli, senza che abbiano la più leggiere conoscenza della fisica. Uno di coloro, che chiamansi dotti, vedendomi un giorno tra le mani un orizzonte artificiale pieno di mercurio nell'atto di fare un'osservazione astronomica, m'avvisò, come di cosa importantissima, essere questo un eccellente rimedio per far morire i schifosi animali e gl'insetti; m'insegnò la maniera d'applicarlo alle pieghe ed ai contorni degli abiti; facendomi sentire essere questo l'uso più utile che potesse farsi del mercurio.

I mori confondono l'astronomia coll'astrologia, e quest'ultima ha non pochi coltivatori. Non sospettavan pure che siavi la chimica; ma trovansi tra di loro alcuni pretesi alchimisti: la medicina è affatto sconosciuta. Limitatissime sono le loro cognizioni aritmetiche, e geometriche. Si può dire che non abbiano quasi poeti, e meno storici; e quindi ignorano la storia del proprio paese, e le belle arti loro sono affatto straniere.

Il Corano ed i suoi commenti formano l'unica lettura degli abitanti di Tanger. Questo quadro è sgraziatamente rassomigliantissimo; e questi paesi possono in tutta l'estensione del termine chiamarsi barbari.

Quella d'essere Santo è tra i Musulmani una professione, o piuttosto un mestiere, che si esercita, e si abbandona ad arbitrio, e talvolta ancora diventa ereditario. Sidi Mohamed el Hadji fu a Tanger un riputatissimo Santo. Dopo la di lui morte viene riverito il suo sepolcro posto nella cappella sopra descritta; suo fratello, che fu l'erede della sua santità viene parimenti venerato. È questi un accortissimo furbo che di quando in quando veniva a visitarmi; cosa risguardata dagli abitanti come un singolar favore. La sua cappella ed il suo giardino sono un sicuro asilo per i delinquenti perseguitati dalla giustizia; e non si troverebbe verun musulmano tanto audace che esasse entrarvi senz'essersi prima assoggettato alla legale abluzione dell'acqua del pozzo posto in vicinanza della sua porta; ma io che per favore speciale della mia origine ero risguardato come superiore agli altri, v'entravo talvolta a cavallo col mio domestico per trovare il santo senza alcuna preventiva ceremonia.

Tanger possiede pure un altro veneratissimo santo, che divenne anch'esso mio amico; il quale, dopo avergli infinite volte detto ch'era un furbo che ingannava i suoi concittadini coll'impostura, si ridusse a confessarmi finalmente la verità, ed a ridersi meco in segreto dell'altrui credulità; ripetendo spesse volte che su questa terra i sciocchi servono ad alimentare i minuti piaceri degli uomini di spirito.

Un altro santo scorreva le strade come un insensato, seguito da molto popolo: aveva la testa scoperta, una lunga capigliatura arricciata, e portava in mano una specie di spartum che abbonda nel paese. Distribuiva come reliquie alcuni pezzetti di questa pianta a coloro che glie ne chiedevano; de' quali, allorchè l'incontraj per istrada, me ne diede un pugno come dimostrazione di particolar favore, che io mi posi sul petto colla più grande venerazione.

Passeggiando una volta per la città mi s'avvicinò un moro, dicendomi, datemi una piastra e mezza per comperarmi un bournous; io sono santo, e se non volete credermi, o se diffidate della mia parola, chiedetene ai vostri domestici, ai vostri amici, e troverete che non v'inganno. Mostrando di credere a quanto mi diceva venni a patti, e gli diedi mezza piastra.

Ricorderò pure un altro santo di Tanger, che è, o finge d'essere imbecille : egli sta sempre sulla gran piazza imitando il grido dell'oca o dell'anitra: estrema è la sua sudiceria, e sarebbe indecenza il descriverla. Mi fu detto che questo santo aveva talvolta fatte pubblicamente cose affatto contrarie al buon costume. Lo stupido fanatismo degli abitanti su quest'oggetto non par credibile. I fakihs ed i talbas lasciano il popolo nell'errore quantunque siano abbastanza istruiti, e mi abbiano più volte parlato di queste aberrazioni dello spirito umano.

CAPITOLO V.

Giudei - Pesi, misure e monete. - Commercio. - Storia naturale. - Situazione geografica.

I Giudei del regno di Marocco vivono nel più misero stato di schiavitù. È veramente cosa straordinaria che i Giudei abitino in Tanger indistintamente coi Mori senza avere un separato quartiere, siccome costumasi in tutte le altre città ove domina l'islamismo, ma questa stessa distinzione è una perenne sorgente di dispiaceri per questa casta disgraziata; rendendo più frequenti i motivi di contese, nelle quali se il giudeo ha torto il moro si fa giustizia da se medesimo; e se il giudeo ha ragione è costretto di portare i suoi riclami al giudice sempre parziale per il musulmano.
Quest'orribile disuguaglianza di diritti tra individui della stessa setta rimonta fino alla culla; di modo che un giovinetto musulmano insulta o batte un giudeo qualunque siasi l'età sua, e le sue infermità, senza che questi abbia, sto per dire, il diritto di lagnarsene, non che quello di difendersi. I fanciulli delle due religioni trovansi nella medesima

disuguaglianza, avendo più volte veduto i fanciulli musulmani divertirsi a battere i fanciulli giudei, senza che questi osassero giammai opporgli la più piccola difesa.

Per ordine del governo i Giudei vestono diversamente dagli altri: il loro abito è composto d'un pajo di mutande, d'una tonaca che scende fino al ginocchio, e d'una specie di bournous o mantello posto da un lato, pantoffole, ed una piccola berretta; tutte le quali cose, devon essere di color nero, ad eccezione della camicia le di cui maniche estremamente larghe rimangono scoperte e pendenti.

Quando i Giudei passano avanti ad una moschea, sono obbligati di levarsi le pantoffole, come pure innanzi alle case del kaïd, del kadi, e de' principali musulmani. A Fez ed in alcune altre città non possono camminare che a piedi nudi.

Se scontransi in un musulmano di alto rango devono a una certa distanza precipitosamente gettarsi sulla sinistra, lasciar in terra le pantoffole in distanza di un passo o due, e porsi in sommessa attitudine col corpo tutto piegato davanti, finchè il musulmano sia passato, e trovisi a considerabile distanza. Se non si prestano subito a così umiliante dimostrazione, Come a quella di smontare da cavallo quando scontransi in un seguace di Maometto, vengono severamente castigati. Io dovetti più volte richiamare i miei soldati o domestici, che avventavansi contro questi sgraziati per batterli, quando avevano tardato un istante a porsi nell'attitudine prescritta dal despotismo musulmano.

Malgrado tutto questo i Giudei fanno a Marocco un grandissimo commercio; e più d'una volta ebbero la ferma delle dovane: accade però d'ordinario ch'essi vengano spogliati dai Mori o dal governo. Quand'io v'andai la prima volta aveva due giudei tra i miei domestici, ai quali, vedendoli così duramente trattati, chiedevo perchè non riparavansi in altri paesi; ed assi mi rispondevano di non lo poter fare per essere schiavi del Sultano.

I Giudei sono i principali artigiani di Tanger quantunque travaglino più male del peggiore artigiano europeo. Da ciò può argomentarsi cosa siano gli artigiani mori. Ma nel medesimo tempo i giudei hanno una particolare destrezza nel rubbare, vendicandosi dei cattivi trattamenti dei Mori col giontarli continuamente.

I Giudei hanno in Tanger alcune sinagoghe; ed hanno pure alcuni santi, o savj che vivono una vita beata a spese degli altri, come in tutte le sette.

Le donne ebree sono generalmente belle, ed alcune bellissime, che per lo più diventano le amanti dei Mori, lo che talvolta contribuisce ad avvicinare le due sette nemiche. Estremamente bello è il colorito delle ebree, mentre la tinta delle more è d'un bianco smaccato che s'assomiglia a quello delle statue di marmo bianco, sia per cagione della vita sedentaria che menano, o perchè vivono sempre rinchiuse nelle loro case; e se sortono talvolta, sortono coperte in maniera che il loro volto non rimane mai esposto all'aria aperta.

La sola misura lineare che conoscasi in Marocco è la draa, che dividesi in otto parti chiamate tomins.

Non essendovi campione o modello originario per l'esatta dimensione della misura, difficilmente se ne trovano due rigorosamente eguali, ma per un termine medio tra le differenti draa che io paragonai ai miei modelli europei, trovai che quella di Marocco è uguale a 244, 7 linee della tesa di Francia, e a 0,55126 d'un metro.

La misura di capacità per i grani chiamasi el moude: de' quali ve ne sono due, il grande ed il piccolo, cioè il secondo la metà del grande.

Lo stesso difetto d'esattezza notata nella misura lineare trovasi ancora in questo. El moude è un cilindro vuoto assai mal fatto, la di cui capacità, avuto riguardo a tutte le imperfezioni, può essere considerato come eguale a 123 linee 56 di diametro, e 106 linee 29 di altezza, ciò che dà 856 pollici e mezzo cubi della tesa di Francia.

Anche il peso va soggetto alle medesime varietà o vacillazioni come le misure; ma finalmente dopo il confronto di molti di questi pesi co' miei campioni d'europa, risulta, preso un termine medio, che la libra di Marocco chiamata artal contiene 16 oncie 347 grani 40 centesimi del grano di Parigi.

La più piccola moneta del paese è il kirat, e la più grande il banind'ki. Eccone la progressione:

In rame   {   il kirat .

                   il flous .

In argento {   il mouzouna, o blanquilla .

                   il derham , o l'oncia .

In oro   {   il mezzo ducato.

il metzkal, mat'boa, o ducato che vale dieci oncie.

il baind'ki che vale 25 oncie.

Ogni moneta di Spagna ha corso a Marocco, e mi sembra che il duro o la piastra spagnuola che chiamano arrial sia la più abbondante specie del paese: ma il suo valore varia ad arbitrio, poichè la piastra spagnuola vale ordinariamente dodici oncie del paese, e la pezzetta di Spagna tre oncie, cosicchè dall'una all'altra passa una diversità del 25 per 100; e quantunque venga cambiato il duro o la piastra per quattro pezzette e mezza, ciò che ristringe il guadagno, tale varietà è cagione di grandissimi contrabbandi di moneta, poichè la maggior parte di piccoli e grandi bastimenti che vengono d'Europa portano piecettes di Spagna per cambiarle coi derros.

Vi sono pure molto monete false che provengono dall'estero, e dietro le notizie ch'io mi sono proccurate potrebbero essere di fabbrica inglese.

La bilancia del commercio è assai vantaggiosa per le vittovaglie ma altissima per le manifatture. Malgrado l'eccellente posizione del porto di Tanger il suo commercio trovasi ridotto ad una limitata esportazione di viveri, ad un piccolo commercio di contrabbando colla Spagna, ed a qualche languida corrispondenza con Tetovan e Fez ove spedisconsi pochi oggetti europei. Rispetto al commercio del regno di Marocco in generale tornerà più in acconcio di parlarne diffusamente altrove. Le botteghe di Tanger sono tanto anguste, che il mercante seduto in mezzo, non ha bisogno di scomodarsi per prendere tutti gli oggetti e presentarli al compratore.

Il suolo che forma la base della costa di Tanger è composto di varj strati di granito secondario di tessitura compatta, ossia di grana fina. Questi strati che sono inclinati all'orizzonte formano con lui un angolo di 50 a 70 gradi; la loro spessezza è ordinariamente d'un piede e mezzo ai due piedi; la loro direzione all'est-ovest; e la loro inclinazione per formare l'angolo è dalla parte del nord.

La distanza d'uno strato all'altro è ordinariamente di due piedi, e questo spazio è ripieno d'un'argilla poco compatta, che nella stessa direzione forma degli strati intermedj d'ardesia.

Questi strati di granito d'argilla alzansi pochissimo

sopra il livello del mare, poichè la maggiore altezza che gli abbia trovato è di 30 ai 40 piedi, ma grande è la loro estensione, poichè sono esattamente le medesime al fiume di Tetovan distante otto leghe. Ho inoltre osservati alcuni strati di granito che entrano nel mare nella stessa direzione e ad una grande distanza.

Se fosse permesso di tirar grandi induzioni da piccole cose, direi che la catastrofe che aprì lo stretto di Gibilterra, fu un subitaneo sprofondamento, non del suolo che forma il fondo dello stretto, ma di quello che l'avvicina al mezzodì, e sul di cui vuoto cadde la montagna, o la massa terrestre che occupava lo spazio oggi riempiuto dal braccio di mare: ed in conseguenza di questo movimento gli strati perpendicolari del granito presero l'attuale direzione: ma d'altronde siccome questo granito compatto sembra d'una formazione secondaria, possono ammettersi nella sua stratificazione tutte le possibili direzioni, senza aver bisogno di supporre uno smottamento posteriore alla sua formazione.

Sopra questo letto, o base generale della costa, le acque ed i venti accumulavano altri strati d'argilla sciolta, e di arena che formano le colline e le montagne della strada Tetovan: finalmente le spoglie vegetali ed animali formano quello strato di terra vegetabile che copre il tutto, ed è di una maravigliosa fertilità.

Al sud della baja di Tanger sulla riva del mare i venti dell'est formarono a poco a poco grandi ammassi di arena, che hanno di già forma di colline, le quali vanno restringendo la baja, che un giorno chiuderanno affatto. Queste arene sono assolutamente mobili, e non hanno in se principio che possa legarle: ma null'ostante questa particolarità vi si vedono vegetare i liliacei, ed alcune altre piante che conservo nella mia raccolta.

La temperatura di Tanger è assai dolce. Il mio termometro collocato colla necessaria attenzione affinchè non ricevesse nè l'impressione diretta, nè la riflessione immediata del sole, onde esprimesse soltanto la vera temperatura della massa dell'aria, non marcò nei maggiori caldi della dimora da me fattavi che 24° 6' di Reaumur il 31 agosto a mezzogiorno, in cui si ebbe un calore straordinario. Un altro termometro posto colla possibile cura al sole affinchè ricevesse tutta la sua maggiore influenza marcò il giorno 22 agosto alle due ore dopo mezzo giorno 39° 5'.

La maggiore altezza del barometro fu di 28 pollici, 1 linea, 9 decimi di linea del piede parigino e la più piccola 27 pollici, 3 linee, ciò che dà un risultato di 4 linee e 9 decimi di linea di variazione.

La minore umidità atmosferica osservata fu di 38 gradi dell'igrometro di Supur il 15 luglio: ma qui l'aria trovasi comunemente impregnata d'umidità, che si rende sensibile non solo colle indicazioni dell'igrometro, ma dalla rapidità con cui a Tanger s'ossidano tutti i metalli a cagione della soprabbondante umidità atmosferica .

Assai marcata è in Tanger la differenza delle stagioni. L'estate fu costantemente serena. Verso l'equinozio cominciarono le pioggie e le borrasche, che continuarono colla medesima costanza. In questo tempo cadde più volte la folgore sulla città, ed uccise un uomo.

Malgrado la fertilità del terreno le specie delle piante ne' contorni di Tanger sono pochissimo variate: e lo stesso deve dirsi rispetto agl'insetti, almeno pel tempo ch'io vi dimorai; giacchè la stagione più propizia a tali indagini dev'essere la primavera.

A Tanger non può un uomo senza compromettersi salire sul terrazzo della propria casa per la gelosia degli abitanti delle case vicine. Le due case ch'io abitai successivamente erano così mal collocate, che non potei fare che pochissime osservazioni astronomiche, e queste ancora con molto stento: inoltre avendo lasciati i miei stromenti astronomici col mio equipaggio a Cadice, non mi furono portati che nella stagione delle pioggie, nella quale rarissime volte vedesi il cielo scoperto per pochi istanti. A fronte di questi ostacoli, la mia latitudine osservata per un termine medio assai poco distante dagli estremi, diede 35° 47′ 54″ nord.

A fronte degli ostacoli che s'opponevano al mio desiderio di fare una collezione di storia naturale, raccolsi a Tanger nella sua baja molti articoli, tra i quali trovansi alcuni fucus assai belli. Tutte le piante marine furono da me raccolte assai vivaci in fondo al mare.

Noi altri musulmani dobbiamo sormontare troppe difficoltà quando vogliamo fare delle collezioni entomologiche; e per cagione della purità legale che proibisce di toccare gli animali immondi, e perchè non possiamo abbruciare verun animale vivo. Il primo ostacolo difficolta la formazione d'una collezione di Cleoptere, ed il secondo rende inutile quella delle farfalle d'ogni genere, perchè avanti di morire senza fuoco, battono le ali per la semplice ferita della spilla che le assicura. Per lo stesso motivo m'accadde un giorno, che uno scarabeo fortissimo che aveva riposto nella scattola con altri insetti, si andò dibattendo con tanta violenza, che staccò la sua spilla, e distrusse tutti gli insetti da me raccolti. Trovavasi in questo numero una falsa tarantola assai grande, ed assai interessante.

CAPITOLO VI.

Continuazione della storia d'Ali Bey. - Notizie intorno all'interno dell'Affrica. - Presentazione all'imperatore di Marocco. - Visite del Sultano e della sua Corte.

Poco dopo arrivato a Tanger la mia esistenza cominciò a diventare aggradevole. La prima visita che mi fece il Kadi Sidi Abderrahman Mfarrasch; il mio annuncio dell'eclissi del sole che doveva aver luogo il 17 agosto, e di cui io ne avevo disegnata la figura quale doveva vedersi nella sua massima oscurità; la vista de' miei equipaggi e de' miei istromenti che arrivavano d'Europa in un battello; i miei regali al Kadi, al Kaïd, ed ai primarj personaggi; le mie liberalità verso altre persone, tutto contribuì a fissare sopra di me l'attenzione del pubblico; cosicchè in breve tempo acquistai un'assoluta superiorità su tutti i forastieri, e sopra i più distinti abitanti della città.

Dall'altro lato il cambiamento del clima, le sostenute fatiche, ed il nuove genere di vita da me abbracciato alterarono alcun poco la mia salute: onde fui costretto di assoggettarmi ad un regime rinfrescativo, ed a prendere i bagni di mare. Queste precauzioni mi resero ben tosto la salute; ricuperata la quale potei occuparmi delle mie collezioni. Un giorno che, nuotando, mi ero alquanto allontanato dalla spiaggia, vidi avvanzarsi quasi a fior d'acqua un enorme pesce lungo dai venticinque ai trenta piedi, onde presi precipitosamente la direzione verso terra ove le mie genti attonite mi richiamavano ad alta voce. Il pesce andò sott'acqua, ma pochi istanti dopo ricomparve precisamente nel luogo ove io mi ritrovavo quando lo vidi.

Un talbe chiamato Sidi Amkeschet, venendo un giorno a trovarmi, ed entrati accidentalmente sull'argomento dell'interno dell'Affrica, mi parlò in tal modo:

«Dalla mia provincia di Sus, e di Tafilet partono spesse volte le carovane che attraversano in due mesi il gran desert0 per portarsi a Ghana ed a Tombouctou.»

«Nell'interno dell'Affrica conosconsi due fiumi col nome di Nilo; l'uno de' quali attraversa il Cairo ed Alessandria, l'altro si dirige verso Tombouctou.»

«Questi due fiumi sortono da un lago che trovasi

nelle montagne della Luna (Djebel Kamar). Quello dal Tombouctou non arriva fino al mare, ma si perde in un altro lago. Le montagne della Luna ebbero tal nome dal colore che prendono in ogni lunazione d'una corona, o d'un arco baleno».

«Da Marocco alle rive del Nilo di Tombouctou si viaggia con piena sicurezza come in mezzo ad una città quantunque colle mani piene d'oro; ma nell'altra banda del fiume non avvi più giustizia nè salvaguardia, perchè abitata da nazioni assai diverse da questa. Entro al fiume trovansi ferocissimi animali chiamati tsemsah, che divorano gli uomini».

M'indicò colla mano la direzione dei due fiumi; il Nilo del Cairo, diss'egli si volge a levante .... Io gli chiesi allora, interrompendolo; «quello di Tombouctou anderà dunque a ponente?» ... Certamente, rispòsemi egli senza esitare, verso l'occidente».

Come mai conciliare tanta contraddizione? Stando al racconto che mi fu fatto, farebbesi un commercio assai attivo e continuato tra i paesi meridionali di Marocco e di Tombouctou; e per conseguenza sembra impossibile che quella gente possa ignorare il corso del Nilo di Tombouctou, trovandosi quasi giornalmente frequentate le sue rive dai Marocchini. Riferiscono questi ultimi che quel fiume va ad Occidente; e Mungo-Park assicura che volge le sue acque verso l'Oriente: che dobbiamo conchiuderne? .... Accordando alla scoperta di Mungo-Park tutta la fede che merita, diremo che passa per Tombouctou verso Occidente un altro fiume, che ancora non conosciamo, e che i Marocchini confondono senza dubbio col gran Nilo Occidentale o Joliba scoperto da Mungo-Park, il quale confessò che questo fiume non passa precisamente per Tombouctou, o pure che il Joliba fa in questo luogo uno straordinario contorcimento, che è cagione dell'errore in cui versano gli abitanti di Marocco; o pure convien supporre che questi ultimi ne parlino senza aver nulla veduto, e soltanto dietro il racconto degli antichi geografi. Frattanto questa relazione spogliata dagli errori che la sfigurano, indica sempre due cose singolari: l'unione, o la comunicazione dei due Nili verso la loro origine nello stesso lago, e lo smarrimento del Nilo occidentale in un altro lago. Ritorneremo altrove su questo argomento.

L'artiglieria delle batterie di Tanger annunciò il 5 ottobre l'arrivo del Sultano Muley Solimano imperatore di Marocco, che scese al suo alloggio nell'Alcassaba o castello della città. Siccome non ero ancora stato presentato al Sultano, io non sortivo di casa, onde aspettarvi gli ordini, a seconda delle intelligenze che avevo col kaïd ed il kadi: e perciò non potei vedere la cerimonia del suo arrivo.

All'indomani il kaïd mi fece sapere, che potevo allestire il regalo di pratica per il susseguente giorno; lo che io feci all'istante. Al mattino del giorno indicato ebbi una conferenza col kaïd ed il kadi intorno al modo della mia presentazione. Il kaïd mi chiese la lista dei doni che destinavo al Sultano; io gliela diedi, e fummo subito d'accordo.

Perchè era giorno di venerdì andai prima alla gran moschea per fare la preghiera del mezzogiorno, perchè questa è una indispensabile obbligazione, e perchè doveva recarvisi ancora il Sultano.

Fui appena entrato nella moschea che un moro mi s'accostò, dicendomi, che il Sultano aveva allora mandato uno de' suoi domestici per prevenirmi che io potevo salire all'Alcassaba alle quattr'ore, ond'essergli presentato.

Prima che giungesse il Sultano alla moschea entraronvi alcuni soldati disordinati, e, quantunque armati, si posero dall'una parte e dell'altra senza conservare alcun rango.

Il Sultano non fecesi aspettar molto; entrò seguito da un piccolo accompagnamento di grandi, e di ufficiali tutti così semplicemente abbigliati, che non distinguevansi altrimenti dal rimanente della compagnia. Eranvi nella moschea, affollata di popolo, circa due mille persone. Finchè io vi rimasi ebbi cura di tenermi un poco appartato.

La preghiera si eseguì al solito degli altri venerdì; ma la predica si fece da un fakih del Sultano, che perorò con molta energia intorno all'argomento «essere gravissimo peccato il commerciare coi cristiani, non doversi dar loro nè vendere alcuna specie di vittovaglie, e simili altre cose.»

Terminata la preghiera mi feci aprire un passaggio dai miei domestici, e sortj. Un centinajo di soldati negri trovavasi sotto le armi in semicerchio fuori della porta, ov'era adunata moltissima gente. Tornato a casa venne a cercarmi un domestico del Sultano per significarmi gli ordini del suo padrone, ed in pari tempo per ricevere la mancia di consuetudine.

Alle tre ore dopo mezzogiorno il Kaïd mi spedì nove uomini per ajutare la mia gente a portare il mio regalo composto de' seguenti oggetti:

Venti fucili inglesi colle loro bajonette.
Due moschetti di grosso calibro.
Quindici paja di pistole inglesi.
Alcune migliaja di pietre focaje.
Due sacchi di piombo per la caccia.
Un equipaggio compiuto da cacciatore.
Un barile della miglior polvere inglese.
Varie pezze di ricche mussoline semplici e ricamate.
Alcune piccole bijotterie.
Un bellissimo parasole.
Varie confetture ed essenze.

Le armi erano entro alcune casse chiuse a chiave, e le altre cose disposte sopra grandissimi piatti coperti da stoffe di damasco rosso gallonate d'argento. Salj all'alcassaba alla testa degli uomini e dei domestici che portavano il dono. Il kaïd aspettavami alla porta, ove mi complimentò. Attraversai un portico sotto al quale trovavansi molti ufficiali della corte; di dove entrai in una piccola moschea che gli sta di fianco per fare la preghiera del vespero, cui assistette ancora il Sultano.

Appena terminata la preghiera essendo uscito dalla moschea, vidi presso alla porta un mulo per il Sultano, intorno al quale stava un infinito numero di domestici, e di ufficiali della corte. Precedevano due uomini armati di picca, o di lancia che tenevano perpendicolarmente, ed aveva press'a poco la lunghezza di quattordici piedi. Il corteggio era seguito da circa settecento soldati negri, armati di fucile, strettamente riuniti, senz'ordine nè rango, e circondati da molto popolo. Io, ed il kaïd presimo posto in mezzo al passaggio presso ai due lancieri. A canto a noi venivano i regali portati sulle spalle dai miei domestici, e dagli uomini mandatimi dal kaïd.

Giunse bentosto anche il Sultano e montò sulla sua cavalcatura, e quando giunse in mezzo al cerchio, il kaïd ed io ci facemmo innanzi: il sultano fermò la sua mula, ed il kaïd mi presentò: io chinai la testa, ponendomi la mano al petto, cui il sultano corrispose abbassando il capo, e mi disse; Siate il ben venuto; indi si volse alla folla, ed avendola invitata a salutarmi con queste parole: Ditegli che sia il ben venuto: all'istante tutta la gente gridò: ben venuto. Il sultano spronò il suo muletto, e recossi ad una batteria lontana due cento passi.

Colà portatomi col mio introduttore, rimasi presso alla porta, lasciando che s'avanzasse il solo kaïd col donativo. Quando entrammo nelle batterie si fece un profondo silenzio. Eranvi almeno venti persone, la maggior parte usceri e grandi ufficiali.

Poco dopo fui chiamato dal kaïd e lo seguii nel terrapieno della batteria che formava una specie di terrazzo che guardava al nord sul mare, ed era armato da nove pezzi di cannone del maggior calibro. Nell'angolo orientale eravi una casuccia di legno, alcuni piedi più alta della batteria, onde dominare il parapetto, a cui si saliva per una scala di otto gradi.

Il sultano trovavasi entro questa casuccia seduto sopra un piccolo materasso guarnito di guanciali. Il kaïd, due grandi ufficiali, ed io, lasciammo le nostre pantoffole alla porta onde avere i piedi nudi, come vuole l'usanza. Due ufficiali mi presero in mezzo tenendo ognuno per un braccio, ed il kaïd mi si pose alla sinistra e ci presentammo al sultano facendo una riverenza o profondo inchino della metà del corpo colla mano destra al petto.

Il sultano dopo aver replicate le sue espressioni di benvenuto, mi fece sedere sulla scala; gli ufficiali si ritirarono, ed il kaïd rimase in piedi. Allora il sultano mi disse umanamente, e con voce amichevole »che era assai contento di vedermi» e replicò molte volte somiglianti espressioni tenendosi la mano al petto, onde farmi conoscere i suoi sentimenti non meno colla voce che coi gesti. Conobbi questo sovrano assai propenso a mio favore, lo che mi sorprese assai perchè niente aveva fatto per meritarmi la sua grazia.

Mi chiese in seguito in quali paesi ero stato, quai linguaggi parlavo, e se sapeva anche scriverli; quali scienze avevo studiato nelle scuole dei cristiani, e quanto tempo mi ero trattenuto in Europa. Dopo avere ringraziato il cielo d'avermi fatto uscire dai paesi infedeli, mi testificò il suo rincrescimento perchè un uomo della mia qualità non si fosse più presto recato a Marocco. Mi ringraziò d'avere preferito il suo paese a quello d'Algeri, di Tunisi o di Tripoli, mi assicurò replicatamente della sua protezione, e della sua amicizia. Mi chiese poi se avevo stromenti per fare osservazioni scientifiche; e dietro la mia risposta affermativa, mi disse che desiderava vederli, e che potevo portarli .... Ebbe appena pronunciate queste parole, che il kaïd s'avvicinò e prendendomi per mano voleva condurmi via: ma senza movermi io feci osservare al sultano, che bisognava aspettare fino all'indomani, perchè avvicinandosi la sera non avevo tempo di prepararli. Il kaïd mi guardava attonito perchè a Marocco non è permesso di contraddire alle voglie del sultano; il quale mi disse: «E bene dunque portateli domani - a quale ora? Alle otto del mattino. - Io non mancherò». Allora mi congedai dal sultano, e partii col kaïd.

Ero di poco ritornato a casa che vennero ad avvisarmi della visita generale dei domestici del palazzo, cui doveasi in tale circostanza una gratificazione. I miei domestici mi sbarazzarono da questa visita con minor spesa ch'io non credevo.

Quando il sultano parlavami de' miei stromenti aveva fatto portare un piccolo astrolabio di metallo di tre pollici di diametro, che serve per regolare gli orologi, e le ore per la preghiera, e mi avea domandato se ne avessi uno somigliante; al che rispondeva di no, soggiungendo che questo stromento era troppo inferiore a quelli di moderna invenzione.

All'indomani andai al castello all'ora indicatami; trovai che il sultano mi stava aspettando nello stesso luogo col suo primo fakih, o muftì ed un altro suo favorito. Teneva avanti di se un servizio di tè.

Vedendomi entrare mi fece salire subito la scala, e sedere al suo lato: indi preso il vaso, versò il tè in una tazza, ed avendovi posto del latte, me la presentò colle sue proprie mani. In tanto egli chiese carta, e calamajo, e gli fu portato un pezzo di cattiva carta, un piccolo calamajo di corno con una penna di canna: scrisse in quattro linee e mezzo una specie di preghiera che diede a leggere al suo fakih; il quale gli fece osservare che aveva dimenticata una parola; ed il sultano ripresa la penna vi aggiunse ciò che mancava. Avendo terminato di prendere il tè S. M. Marocchina mi presentò la scrittura perchè la leggessi, ed egli accompagnava la mia lettura indicandomi col dito sulla carta ogni parola progressivamente e correggendo i difetti della mia pronuncia come farebbe il maestro collo scolare.

Terminata la lettura mi pregò di custodire questa carta, che ancora conservo.

Si levò il vassellame del tè composto d'una zuccariera d'oro, d'un vaso di tè, d'uno per il latte e di tre tazze di porcellana bianca ornata di oro, il tutto posto sopra un gran piatto indorato.

Come porta l'uso del paese, egli aveva posto lo zuccaro nel vaso del tè; metodo incomodo assai perchè obbliga a prendere la bevanda o troppo, o poco addolcita.

Il sultano mi dava frequenti prove del suo affetto. Chiese di vedere i miei strumenti, che osservò pezzo per pezzo con molta attenzione, chiedendomi la spiegazione di ciò che non conosceva, o non sapeva quale ne fosse l'uso. Mostrava di compiacersi assai di quanto gli rispondeva, e desiderò che facessi in sua presenza una dimostrazione astronomica; onde per appagarlo presi due altezze del sole con il circolo moltiplicatore. Gli feci vedere varj libri di tavole e di logaritmi che avevo portati meco per dimostrargli che gli strumenti non servono a nulla, se non s'intendono que' libri, e molti altri. Mostrò d'essere estremamente sorpreso alla vista di tante cifre, e quando gli offersi i miei strumenti, risposemi, che io «dovevo conservarli perchè io solo ne conosceva l'uso; e che avressimo avuto molti giorni, e molte notti per contemplare con piacere il cielo». Da ciò compresi che pensava di tenermi presso di se, avendomene fatti altri cenni. Soggiunse che desiderava di vedere gli altri miei strumenti, che promisi di portare all'indomani e mi congedai.

Il susseguente giorno essendomi portato al castello, salii nella sua camera, ove lo trovai coricato sopra un piccolissimo matterasso ed un guanciale: stavan seduti innanzi a lui sopra un tappeto il suo gran fakih e due suoi favoriti. Appena vedutomi alzossi da sedere, ordinando di portare un materasso somigliante al suo, che fece collocare al suo fianco, e mi ordinò di adagiarmivi.

Dopo i vicendevoli complimenti, feci introdurre una macchina elettrica, ed una camera oscura che gli presentai siccome oggetti di semplice curiosità non applicabili alle scienze. Avendo montate le due macchine posi la camera oscura presso ad una finestra: il sultano levossi e vi entrò due volte; lo ricopersi io stesso colla coltre durante tutto il tempo che vi rimase, compiacendosi di osservare gli oggetti trasmessi dalla macchina; lo che io risguardai come una grandissima prova di confidenza. Si divertì in seguito a vedere scaricarsi la bottiglia elettrica a diverse riprese. Ma ciò che maravigliosamente lo sorprese fu l'esperienza del colpo elettrico, che mi fece replicare più volte, mentre ci tenevamo tutti per la mano per formare la catena, e volle essere a lungo istruito intorno a queste macchine, ed all'influenza dell'elettricità.

Il precedente giorno avevo mandato al sultano un cannocchiale, che allora glie lo richiesi per regolarlo secondo la sua vista; ciò che io feci all'istante, marcando sul tubo il conveniente grado dietro l'esperimento da lui fattone.

Io avevo lunghissimi mustacchi, onde il sultano mi domandò perchè non li accorciassi come gli altri Mori. Ed avendogli rimostrato che in Levante non si tagliavano; mi rispose; «va bene, ma questa non è l'usanza del paese». Quindi avendo fatto recare un pajo di forbici, tagliò alquanto i suoi, ed in appresso prendendo i miei m'indicò quanto doveva toglierne e lasciarne: e forse il primo suo pensiere era quello di scorciarmeli egli medesimo, ma perchè io nulla risposi, depose le forbici. Mi chiese poi se io tenevo une strumento adattato a misurare il calore; e gli promisi di mandargliene uno. Mi congedai facendo levare i miei strumenti, e lo stesso giorno gl'inviai un termometro.

Verso sera mentre stavo con alcuni amici, un domestico del sultano mi recò da parte sua un regalo. Avendogli ordinalo di avanzarsi, si presentò chinandosi fino a terra, e pose innanzi a me un involto di tela d'oro e d'argento. La curiosità di vedere il primo regalo che mi faceva l'imperatore di Marocco mi fece aprire l'involto con molta premura, e vi trovai ...... due pani assai neri.

Non essendo preparato a cotal dono, non mi sovvenne in quel primo istante di cercarne il significato; e rimasi un momento così sorpreso che non sapeva che dirmi; ma coloro ch'eran meco s'affrettarono di complimentarmi, dicendo, quanto siete fortunato! quale felicità è la vostra! Voi siete fratello del sultano; il sultano è vostro fratello: mi rissovvenni allora, che tra gli Arabi il più sacro segno di fraternità è di darsi a vicenda un pezzo di pane, e di mangiarne ambedue; e per conseguenza i pani mandatimi dal Sultano erano il suo segno di fraternità con me. Erano neri perchè il pane mangiato dal sultano si fa cuocere entro fornelli portatili di ferro; ciò che dà loro un colore oscuro al di fuori, ma internamente sono bianchi e buonissimi.

All'indomani, dopo aver ricevuto le visite di alcuni cugini, o altri parenti del Sultano, andai col kadi a visitare il fratello maggiore dell'imperatore: egli chiamasi Muley Abdsulem, che ha la sventura d'essere cieco. Il nostro intrattenimento che si prolungò quasi un'ora fu tutto filantropico.

Il martedì undici ottobre il kaïd mi ordinò per parte del Sultano di tenermi pronto a partire con lui il susseguente giorno alla volta di Mequinez; prevenendomi di domandare tutto quanto poteva abbisognarmi. Passai tosto a trovarlo nel castello per fargli sapere che io non potevo partire così presto, avendo bisogno di rimanere a Tanger alcuni altri giorni. Mi chiese quanto tempo mi abbisognava, ed avendogli risposto dieci giorni, entrò dal Sultano, che me li accordò senza difficoltà. Le stessa sera, accompagnato dal mio buon kadi, andai a render visita al primo ministro Sidi Mohamet Salaoui che mi ricevette seduto in su le calcagna in un angolo della cameretta di legno, in cui avevo veduto il Sultano; ma egli stava sul suolo senza pur avere una semplice stuoja, al lume d'una miserabile lucerna di latta con quattro vetri, posta sul suolo al suo fianco. Egli aveva poc'anzi ricevuto nella medesima maniera il console generale di Francia che sortiva nell'atto ch'io entrai. Sedemmo in terra presso di lui, trattenendoci un quarto d'ora in complimenti.

Fui in appresso col kadi a visitare Muley Abdelmélek cugino germano del Sultano, uomo rispettabilissimo che era generale della guardia. Accampato sotto la tenda, stava co' suoi figliuoletti sdrajato sopra un matterasso, ed aveva a lato il suo fakih. Appena entrati, il fakih si alzò; Muley Abdelmélek si pose a sedere, e fece che noi pure sedessimo presso di lui sopra un altro matterasso. La nostra conversazione che durò quasi un'ora fu assai amichevole. Nel fare queste visite il kadi servivasi della sua mula, ed io del mio cavallo, e la mia gente ci accompagnava a piedi colle lanterne. Regalai tutte le persone visitate, senza scordarmi di dar la mancia agli usceri ed ai domestici. Feci pure qualche regalo ad alcuni grandi ufficiali e favoriti del Sultano.

Mercoledì 12, il Sultano partì di buon mattino alla volta di Mequinez. In tal modo ebbe fine il mio ricevimento alla corte del sovrano di Marocco.

Il Sultano Muley Solimano mostra l'età di quarant'anni. È grande di statura, e la sua carnagione è assai fresca. Il volto non bianco, ma non soverchiamente bruno porta i segni della bontà; ha grandi e vivacissimi occhi; semplicissimo è il suo vestire, per non dir di più, essendo solito di portare un grossolano hhaïk ; sono disinvolti i suoi movimenti; parla con rapidità, agevolmente comprende ogni cosa. Egli è fakih, ossia dottore della legge, e la sua istruzione è puramente ed interamente musulmana.

Ogni lusso è sbandito dalla sua corte. Durante il soggiorno ch'egli fece a Tanger rimase accampato sotto le tende poste all'ouest della città senza alcun ordine. Le sue erano in mezzo ad un grandissimo spazio vuoto, e circondato da un parapetto di tela dipinta in forma di muraglia. Nella tenda di Muley Abdelmélek ch'era molto grande, non vedevansi che due matterassi, un gran tappeto, un candelliere d'argento con una gran torchia acceso. Intorno ad ogni tenda stavano attaccati i cavalli ed i muli del padrone, ed in tutto il campo non vidi che due cammelli. Malgrado la confusione ed il disordine di questo campo, calcolai che poteva contenere all'incirca sei mille uomini.

Il kaïh accompagnò il Sultano fino alla prima stazione della sera; ed allorchè ritornò a Tanger mi fece replicate istanze a chiedergli tutto quanto poteva abbisognarmi. Lo pregai di farmi venir tende ed altri oggetti necessarj ai miei progetti.

CAPITOLO VII.

Uscita di Tanger. - Viaggio a Mequinez, ed a Fez.

Avendo tutto disposto per il mio viaggio, impiegai il giorno di martedì 25 ottobre a far sortire il mio equipaggio da Tanger. Si dispose il campo a cento tese all'ouest dalle mura, ove aveva fatte riunire le mie genti ed ogni mia cosa.

Dopo fatta la mia preghiera nella moschea, ed abbracciati i miei amici, sortii di casa a cavallo alle cinque ore della sera, accompagnato dal kadi, ch'era pure a cavallo, da tutti gli altri fakih e talbi della città, ed alcuni domestici ne seguivano a piedi. Arrivai con questo seguito fino al luogo del mio campo, ove mi lasciarono solo affinchè potessi riposarmi.

Prima ch'io sortissi di casa un fakih mi prese l'indice della mano diritta, e lo girò sopra una parete della camera, facendomi formare certi caratteri misteriosi per ottenere buon viaggio e felice ritorno.

La notte era già fatta quando il kadi e gli altri fakih ritornarono alla mia tenda. Presero meco il tè, e m'inbandirono una squisita cena. Vennero pure a trovarmi i principali santi, e tutti ritiraronsi per entrare in città, prima che si chiudessero le porte.

Il giorno fu bello; e la mattina il barometro segnava 28 pollici e due linee e mezzo. La notte fu serena e tranquilla, e la luna risplendeva di tutto il suo lume. Le mie genti eransi accampate sopra un'altura; la mia tenda aveva alla sua base diciotto piedi di diametro, e tredici alla sua sommità: aveva un doppio ordine di cortine ermeticamente chiuse, illuminata da due fanali. Il termometro marcava alle nove ore della sera 15° 1′, e l'igrometro 85°.

Mercoledì 26 ottobre.

La mattina si levò il campo, e quando stavo per montare a cavallo, il kadi e tutti i fakih tornarono per l'ultima volta. Essi mi posero in mezzo, e facemmo due preghiere all'Eterno perchè renda felice il mio viaggio, e dopo i più teneri abbracciamenti, ci separammo colle lagrime agli occhi: erano le sette ore e mezzo del mattino.

Appena rimasi solo caddi in un profondo pensiero. Diffatti allevato com'ero io in varj paesi dell'Europa civilizzata, mi trovava per la prima volta alla testa d'una carovana, viaggiando in un paese selvaggio senz'altra garanzia per la mia individuale sicurezza, che le mie proprie forze. Partendo dalla costa N. dell'Africa, ed internandomi verso il mezzodì, dicevo a me medesimo: sarò io in ogni luogo ben ricevuto?... quali vicende m'aspettano?... quale sarà l'esito delle mie imprese?.... Sarò io la sventurata vittima di qualche tiranno?.... Ah no! no senza dubbio.... Il sommo Dio che dall'alto del suo trono vede la purità delle mie intenzioni, mi darà il suo appoggio. Uscito da questo stato di turbamento, ne dedussi questa conseguenza: poichè Dio colla sua mano onnipotente mi ha felicemente condotto fin qui a traverso di tanti pericoli, mi condurrà colla medesima prosperità sino al fine.

La mia carovana era composta di diecisette uomini, di trenta bestie, e di quattro soldati di scorta. La tenda destinata alla mia sola persona, aveva per mobili un letto, alcuni tappeti e guanciali, uno scrittojo, e due casse contenenti i miei strumenti, i miei libri e le mie biancherie per uso giornaliero. Tre altre tende erano occupate dal mio equipaggio, dalla mia scorta e dalla mia cucina.

Si viaggiò verso il S. 1/4 S. E. fino alle undici ore del

mattino che si piegò al S. O. Ad un'ora dopo mezzogiorno si prese la direzione del S. 1/4 S. O. fino alle ore tre e mezzo che si fece alto. Quel giorno viaggiando si passò in vicinanza di cinque dovar , due de' quali formati di case fabbricate di fango e di pietre, e gli altri tre di semplici tende. Il nostro campo si pose in distanza di cento tese da un dovar di più di sessanta tende divise in quattro gruppi, val a dire in quattro famiglie. Le tende sono fatte di pelo di cammello, e gli sgraziati che vi dimorano non hanno altra abilità che quella di condurre e di aver cura delle gregge. In quel giorno la monotonia abituale del luogo era interrotta

dalla ceremonia d'un maritaggio festeggiato col romore del tamburo , delle picche, e di pochi colpi di fucile: non s'udivano le strida delle donne perchè quivi vanno scoperte, e vivono in società cogli uomini. Io non saprei a cosa attribuire questa prevaricazione della santa legge del profeta, che proibisce tale costumanza. Mi riferirono pure i miei domestici d'averne vedute alcune mal vestite e quasi nude.

Il suolo composto di una buona terra vegetale è coperto da una eccellente verdura per i bestiami, ma inutile per le api e per i botanici perchè quasi affatto priva di fiori. Io non potei raccogliere che tre o quattro piante pel mio erbolajo.

Il paese vien circondato di colline da ogni banda: da quella dell'E. vedesi la catena delle montagne di Tetovàn, che si prolunga nella direzione N. S.; ma quivi s'avvanzano all'ouest in guisa che non sono più di due leghe lontane dalla costa occidentale dell'Africa.

All'un'ora e mezzo dopo mezzogiorno attraversammo una ramificazione di queste montagne, che prolungasi fino al mare. Vidi cammin facendo alcuni pezzi di granito di color rosso incarnato con pochissimo feldspato. Dalla sommità di queste montagne scoprivasi perfettamente il Capo Spartel al N. O., ed una immensa estensione della costa. Vedemmo pure ad una grandissima distanza due gruppi di vascelli di linea che sembravano essere quaranta all'incirca .

Scendendo al S. della montagna trovasi una vasta e bella pianura, lungo la quale s'aggira il fiume Meschavaalaschef abbondante di acque quantunque diviso in due rami, che passammo a guazzo.

Il cielo era questo giorno alquanto coperto; l'aria rinfrescata da un vento del mattino si fece assai forte dopo il mezzogiorno, in modo d'esserci incomoda perchè accampati sopra un'altura.

Scontravansi varie sorgenti, ed una ne avevamo presso al campo d'un'eccellente acqua.

Alle otto della sera il termometro e l'igrometro esposti all'aria aperta segnavano, il primo 14° e l'altro 85°. Il vento N. E. era fortissimo.

Lungo la strada vidi molte mandre, unica ricchezza di quegli abitanti; ma tutto il terreno era incolto.

Giovedì 27.

Sì riprese il cammino a sett'ore ed un quarto nella direzione di S. E., e due ore dopo si piegò a S. O. fino alle dieci e tre quarti, quando trovandomi sopra un'altura scoprii il Capo Spartel quasi esattamente al N., alla distanza di sei leghe. Vedevasi il mare lontano due leghe e mezzo all'O.; avevamo all'E. la catena delle montagne che dopo tre leghe piega al S. Proseguendo a camminare tra il S. ed il S. 1/4 S. O. si perdette di vista il mare, ma non le montagne, che mantennero la stessa apparente distanza sulla nostra sinistra fino alle quattro della sera quando feci alzar le tende.

Il terreno è somigliante a quello percorso nel precedente giorno. Il paese viene formato da vaste pianure qua e là sparse di colline, e coperte d'una verzura, che le uguaglierebbe ai prati dell'Inghilterra se fossero coltivate. La vista di prati così belli affatto abbandonati toccavano vivamente il mio cuore, pensando che nell'Asia e nell'Europa gli uomini circoscritti entro piccoli spazj, periscono in parte, o strascinano una miserabil vita: laddove qui nissuno gode dei benefizj della natura!

Trovai lungo la strada molte sorgenti non discoste le une dalle altre, e di un'acqua assai buona; ed inoltre due piccoli fiumi. Vidi parecchi dovar di tende ai due lati della strada, ed alcuni pochi arabi che aravano coi buoi; mentre da ogni banda osservavansi numerose mandre di pecore, di capre e principalmente di animali bovini.

Le piante di questa contrada non diversificano da quelle che avevo di già raccolte, ad eccezione soltanto di molte palme, palma agrestis latifolia, e di varie felci.

Il tempo ch'era stato assai freddo al mattino a

cagione d'un gagliardo vento N. E., si fece caldissimo dopo le dieci ore in cui, calmato il vento, e fattosi il cielo sereno, rimanevo esposto ai cocenti raggi del sole, che mi percuotevano violentemente il capo, quantunque difeso dal turbante, e dal capuccio del bonruons: onde non so comprendere in qual maniera possano i cristiani, che viaggiano in Affrica con cappelli tanto leggieri, resistere ai colpi di così ardente sole.

Gli abitanti d'un dovar vicino al mio campo mi donarono del latte e dell'orzo. La notte non poteva essere migliore, essendosi mantenuta sempre serena e placida.

Avendo prese quattro altezze del sole, trovai col cronometro la longitudine del 23 di tempo O. da Tanger, lo che s'avvicinava assaissimo alla mia stima geodesica: come dall'osservazione del passaggio della luna al meridiano trovai la latitudine N. - 35° 11′ 44″.

Alle nove ore e 20 minuti della sera il termometro nella mia tenda aperta segnava 13° e l'igrometro 64°. Il luogo in cui eravamo accampati è consacrato ad un pubblico mercato che vi si tiene ogni martedì quantunque non sia che una campagna aperta senza il menomo distintivo. Il vicino Dovar chiamasi Daraïzàna ed è abitato dalla tribù Sahhèl. Gli abitanti mi dissero che Laraisch ossia Larache è posta all'O. ed assai vicina al luogo in cui mi trovavo: se ciò è vero la sua latitudine sarebbe troppo alta nelle carte di Chénier e di Arrowsmith .

Venerdì 28.

Alle sett'ore ed un quarto c'incamminammo al S. O. a traverso una macchia di quercie larga un quarto di lega, chiamata la macchia di Daraïzàna. Alle nove attraversammo il fiume Wademhàzen, e proseguendo la strada nella direzione di S. S. E. scopersi a dieci ore una cappella ed alcune case di campagna, che mi fu detto essere assai vicine a Larache, ed erano da noi lontane circa quattro leghe al N. O. Piegando allora al S. S. O. arrivammo poco dopo il mezzodì ad Alcassar-kibir.

Il paese è formato di bellissime praterie chiuse all'ouest da piccole colline, ed all'est da una catena di monti che s'innalza a tre leghe di distanza. Un'appendice di queste montagne sembrava staccarsi all'ouest per prolungarsi fino al mare ad una lega al sud da Alcassar. Si attraversarono quattro burroni non molto profondi.

Il terreno non diversifica da quelli esaminati ne' giorni antecedenti, fuorchè sembra alquanto più arenoso. Si passò in vicinanza di tre o quattro dovar composti di tende e di baracche, il più grande de' quali non ne aveva più di venti. Feci mettere il campo in distanza di circa sessanta tese da Alcassar. Essendo venerdì entrai in città per fare la mia preghiera nella moschea, che trovai piccola, e di cattivo aspetto; ma la sua principale facciata interna vedesi adorna di alcuni disegni arabeschi.

Alcassar è più grande di Tanger. Le case sono fatte di mattoni, ed i tetti colle capriate a schiena d'asino, sono coperte di tegole come in Europa. Vi si trovano molte botteghe di mori e molte officine in cui lavorano gli ebrei. Questa città, quantunque ricca, mi parve trista e monotona. Vidi varie persone signorilmente vestite: qui tutte le donne portano le calze, e sortono come a Tanger sempre coperte con un velo.

Il cielo in questo giorno fu sempre oscuro, ed insoffribile il caldo soffocante dell'atmosfera nebbiosa. Il governatore d'Alcassar mi fece portare alle otto ore della sera un'abbondante cena, ed accrebbe di sei soldati la mia scorta. Un altro ragguardevole personaggio mi mandò una seconda cena. Il tempo coperto non mi permise di fare veruna osservazione astronomica. Alle otto ore e mezzo il mio termometro all'aria aperta segnava 16° 3, e l'igrometro 40°. Poco dopo incominciò la pioggia; ma l'idrometro indicava che l'aria non era presso alla terra carica d'umidità. Pure una terribile borrasca imperversò tutta la notte.

Sabbato 29.

Non fu possibile di partire avanti le dieci; alcuni muli caddero in quel terreno argilloso ed ancora molle. Attraversai varj orti, ed in seguito si varcò il fiume Luccos che scorre al sud d'Alcassar, e non già al nord, come erroneamente lo indicano tutte le carte. Venni assicurato che questo fiume si getta in mare presso a Larache, nel quale supposto convien dire che piega assai verso il nord nord ouest. Nel luogo in cui io lo varcai a non molta distanza da Alcassar scorre ad ouest 1/4 nord est; ed in tal luogo è povero d'acque, comecchè per altro si sappia che le sue escrescenze sono terribili.

Continuammo il cammino ora in una, ora in altra direzione, ma generalmente al sud sud est; ed al sud dalle due ore dopo mezzodì fino alle cinque, allorchè si fece alto.

Dopo avere attraversato il fiume si trovò il paese continuamente montuoso, e la vista era sempre circoscritta dalle sommità vicine. Ad un'ora dopo mezzogiorno scendemmo in una bella pianura di circa una lega di diametro, sparsa di alcuni dovar, e fiancheggiata di montagne, lungo le quali si camminò fino a sera.

Il terreno era di quando in quando arenoso, ma per lo più composto d'una terra argillosa tutta ingombra di cardi secchi assai bianchi, che presentavano l'immagine d'un paese coperto di nevi. Osservai altresì alcuni tratti sparsi di sassi calcarei rotolati dalle acque.

In questo giorno si videro passare sopra di noi, ma ad una sterminata altezza nella direzione nord est immense schiere di uccelli, di cui, per la soverchia distanza, non si potè conoscerne la specie. Una di queste schiere di circa quattro mille individui, aveva l'apparenza d'un'armata ordinata in battaglia.

Il cielo fu coperto di nubi, ed alle tre ore pioveva leggermente. La notte fu simile al giorno; e mi tolse il piacere di occuparmi di qualche operazione astronomica. Alle tre ore, essendo esposti all'aria libera, il termometro segnava tredici gradi e sei linee, e l'igrometro 85.

Domenica 30.

Erano sett'ore ed un quarto allorchè feci movere il campo, dirigendomi al sud-est, indi al sud-sud est fino alle dieci ore e mezzo, che si prese la direzione al sud-sud-ouest, ed un altr'ora dopo al sud. Arrivai ad un'ora dopo mezzogiorno sulla sponda diritta del fiume Sebou, che si attraversò con una barca per accamparsi sulla riva sinistra.

Questo fiume nel luogo in cui io lo varcai è molto grande, e mi si disse essere formato da due fiumi il Verga che viene dall'est, ed il Sebou dal sud. Al luogo in cui trovasi la barca riceve un altro fiume poco considerabile chiamato l'Ardat.

La larghezza del Sebou mi sembrò di circa cento ottanta piedi: è profondo e rapido assai. Il suo letto forma una vasta fossa in mezzo a due coste quasi perpendicolari, alte ventisei piedi sopra il livello dell'acqua, che corre all'ouest; e le rive sono d'una terra argilloso-arenosa. Tutt'i fiumi ed i ruscelli attraversati in questo viaggio hanno i loro letti tagliati nella stessa maniera, e siccome attraversano il paese da levante a ponente, dalla catena delle montagne fino al mare, possono riguardarsi come fossero fatti dalla natura per difesa, renduta ancora più facile dagli angoli assai frequenti delle rive opposte.

Fino alle undici ore si camminò per un paese montuoso, e finalmente ci si aperse innanzi un vastissimo orizzonte, ed allora scoprimmo la catena delle montagne ad otto o nove leghe di distanza all'est. Un'alta montagna isolata, al di cui piede mi fu detto trovarsi la città di Fez, non sembravami essere a maggior distanza di dodici leghe al sud-est. L'orizzonte veniva chiuso all'ouest da una linea di collinette, ed una vasta pianura occupava lo spazio intermedio. Alle dieci ore costeggiai alcuni piccoli laghi abbondantissimi di tartarughe.

Il terreno è argilloso nelle montagne ed in qualche parte del piano; il rimanente arenoso misto di terra calcarea. Alle undici ore ed un quarto eravamo a fianco d'un picco isolato di pietra calcarea primitiva, composto di strati quasi verticali. Lo strato di argilla che ricopre il paese è rotto, e scosceso, come si può vedere negli smottamenti e nei letti dei fiumi, ed è formato di depositi orizzontali. Io inclino a credere che questi immensi strati siano prodotti da eruzioni vulcaniche sotto-marine accadute in remotissimi secoli.

Tutti i terreni argillosi vedonsi interamente coperti di cardi secchi; come gli arenosi sono sparsi di palme, di lecci, e d'alcune altre piante; ma in questa stagione non avevano nè fiori, nè frutto.

In questo giorno vidi molti dovar, in uno de' quali festeggiavasi un matrimonio. Secondo la costumanza di questo paese, lo sposo uscì tutto coperto da capo ai piedi di una gran tela, ed alcuni Arabi che lo accompagnavano chiesero alle persone del mio seguito qualche piccola cosa, compensandoli con una grande quantità di radici secche. È cosa straordinaria che quest'usanza non produca verun abuso, e conviene darne merito alla buona fede di questi popoli. Osservavo con piacere l'innocenza e la semplicità de' costumi dipinte sul loro volto, ed indicate ancora dai loro abiti.

Si consumarono tre ore nel passaggio del fiume, perchè oltre l'imbarrazzo dello scaricare, e caricare i muli, non essendovi veruna tavola per agevolare l'entrata e l'uscita dalla barca, le bestie adombravansi, ed era duopo farle entrare e sortire a forza di braccia, e sempre con molta difficoltà. La fatica delle mie genti fu resa ancor maggiore da una orribile borrosca accompagnata da continui tuoni e da una dirotta pioggia.

S'alzò il campo presso ad un dovar, il di cui capo mi regalò un montone molto eccellente orzo e latte.

Il cielo sempre coperto di nubi non mi permise di fare le consuete dimostrazioni astronomiche. Alle otto ore della sera il termometro, e l'igrometro posti all'aria aperta, segnavano il primo 12° 5, l'altro 100. La terra e l'aria erano saturati d'acqua.

Lunedì 31 ottobre.

Ci rimettemmo in cammino alle sett'ore ed un quarto dirigendoci al sud ouest fino alle undici che si piegò al sud-est, ed in appresso al sud 1/4 sud-est, finchè si arrivò ad un'ora e mezzo dopo mezzo giorno sulla riva destra del fiume Ordom, che si costeggiò per qualche tratto. Attraversammo una piccola montagna, e dopo avere passato due volte il fiume, feci alzar le tende a quattr'ore e tre quarti della sera.

Da principio il paese presentò vaste pianure chiuse da ogni lato da piccole colline, scoprendosi di quando in quando sopra quelle a sinistra le sommità delle montagne dell'est distanti dieci in dodici leghe. Si seguì per una mezza lega all'incirca la sinistra del Sebon che aveva sempre la medesima larghezza. Il fiume Ordom, che si costeggiò pure lungo tratto, è largo e profondo assai; ma guadabile in varj luoghi, non però senza qualche difficoltà a motivo del suo rapido corso. I suoi margini sono argillosi, e tagliati quasi a picco come quelli degli altri fiumi. Attraversando la montagna che occupa la vista dell'orizzonte al sud, si scopre un vasto paese terminato all'est ed al sud da una seconda linea di montagne, ed all'ouest da bassi colli.

Il suolo tutto argilloso e fino ad una certa distanza coperto di cardi secchi, presentava qua e là alcuni tratti calcarei ed arenosi sparsi d'arboscelli spinosi ugualmente secchi, e pochi tratti di terra lavorata e seminata. La montagna che noi attraversammo era di una roccia calcarea, avvicinandosi nel totale al tessuto dell'ardesia con strati obliqui.

Vidi molti dovar, e feci far alto in vicinanza dell'ultimo. Trovammo pure lungo la strada alcune cappelle o eremitaggi, ove si fece la preghiera.

Il giorno era cupo e piovoso, e la notte fu uguale al giorno, ma senza vento. Alle tre ore all'aria libera il termometro era al 12° 5, l'igrometro al 34°.

Martedì primo novembre.

Si partì alle sette ed un quarto prendendo la direzione ora verso il sud-sud-est ora verso il sud-sud-ouest a motivo dell'ineguaglianza del terreno, che si forzava a mutare direzione ad ogni istante. Alle otto ore si attraversò per l'ultima volta il fiume Ordom, che in questo luogo scorre colla medesima rapidità all'ouest. Alle undici e tre quarti passai per la parallella di Fez, che ci stava all'est in distanza di sei o sette leghe; lo che rettificava altre inesatte nozioni che mi erano state date negli antecedenti giorni. Ad un'ora dopo mezzo giorno si attraversò un piccolo fiume che scorre all'est, e di là salendo sopra una vicina altura, ci trovammo sopra Mequinez, che vedevasi perfettamente distante in retta linea soltanto un quarto di lega. Essendo finalmente scesi dal monte si passò il fiume di Mequinez e salito un basso poggio, s'entrò alle due e mezzo della sera in una cappella vicinissima alla porta della città.

Il paese veduto jeri, e che al primo aspetto pareami una vasta pianura, lo trovai formato di un laberinto di colline rotonde, e d'un uguale altezza, tra le quali serpeggiano l'Ordom, ed alcuni altri minori fiumi. La catena delle montagne all'est mostrava ancora le sue sommità ad una considerabile distanza.

Piccola è l'altura su cui è fabbricata Mequinez, ed un triplice muro forma un circuito capace di contenere, oltre la popolazione, una grande armata. Queste mura hanno quindici piedi di altezza, e tre di spessezza con alcune aperture di tratto in tratto. La città veduta dall'alto presenta colle sue torri un'imponente prospettiva: i suoi contorni sono coperti di ortaglie e di ulivi.

Il cielo era coperto di nubi, e piovve pure a varie riprese. Eranvi lungo la strada alcuni dovar. Aveva fino alle due del mattino spedito un domestico con una lettera a Sidi Mohamed Salaovi per avvisarlo della mia venuta, per cui mezza lega fuori di Mequinez trovai un ufficiale del palazzo, che d'ordine del Sultano veniva ad incontrarmi, e che dopo avermi fatto riposare nella cappella sopra accennata, mi accompagnò col mio equipaggio alla casa preparatami.

Appena giuntovi venne a trovarmi il sopr'intendente del tesoro; il quale, dopo i mutui complimenti, s'informò di tutto quanto poteva abbisognarmi, avendo ordine di pagare senza eccezione tutte le spese per me, per la mia famiglia e per le mie bestie. Alle nove della sera Sidi Mohamed Salaovi mi mandò una magnifica cena.

Mercoledì 2.

La mattina mi recai a far visita al ministro il quale alle quattro dopo mezzogiorno mi fece portare a casa uno squisito pranzo. Rimasi quel giorno in casa, aspettando gli ordini per presentarmi al sovrano. Non potendo montare sul terrazzo della mia casa, ed appena per l'altezza delle case contigue potendo dall'inferior parte della mia vedere il cielo, non feci le consuete osservazioni astronomiche.

Giovedì 3.

Nulla di nuovo fuorchè l'ordine di presentarmi all'indimani al sultano.

Venerdì 4.

Vennero a prendermi a mezzogiorno, e fui condotto nella moschea del palazzo; ove un istante dopo entrò il sultano: perchè era giorno di venerdì vi fu predica, e la consueta preghiera.

Soddisfatti i doveri della religione, mi presentai al sultano, con cui ebbi una conferenza assai amichevole. Mi disse che in breve partiva alla volta di Fez, e soggiunse di parlarne con Salaovi.

Dalla moschea andai direttamente a trovar Salaovi, che mi pregò caldamente a chiedergli quanto mi abbisognava per partire all'indomani alla volta di Fez ove sarei alloggiato e mantenuto in casa di Muley Edris, che è un grandissimo e veneratissimo santo. Perciò, di ritorno alla mia casa, disposi ogni cosa per la partenza.

Sabbato 5.

Dietro gli ordini dati da Salaovi, mi furono la mattina condotti i muli necessarj al trasporto del mio equipaggio, e cinque soldati a cavallo che dovevano unirsi alla mia scorta.

Sortii da Mequinez alle tre del mattino, camminando quasi costantemente all'E. 1/4 N. E., ed all'E. N. E. Alle dieci ore si attraversò il fiume di Mequinez; a mezzogiorno un ramo dell'Ordom, ed un altro ramo dallo stesso fiume un'ora dopo. Alle tre finalmente si varcò l'Emkèz, fiume assai ragguardevole, e si entrò in Fez verso le sette della sera.

Il paese attraversato è composto da vaste pianure che all'E. perdonsi nell'orizzonte; ed è circoscritto al N. da una linea di alte montagne, e le colline dell'O. vedonsi a grandissima distanza.

Il suolo tutto calcareo arenoso, qua e là misto di argilla, è tutto coperto di palme e non vi si vedono coltivati che pochi ulivi dalla banda di Mequinez. Ad un quarto di lega da questa città trovansi due dovar presso alle montagne.

Il giorno fu cupo, ed avanti notte si fece

oscurissimo: la pioggia ed il vento gagliardo mi accompagnarono fino all'alloggio che mi era stato preparato.

Alcune ore prima avevo ordinato a due soldati di precedermi, portando a Fez l'ordine del ministro onde non si chiudessero le porte della città prima del mio arrivo; e tanto si fece. - In tal modo si terminò felicemente il mio primo viaggio nell'Affrica.

Dalle osservazioni ch'io feci risultò, che la caravana da Tanger percorse press'a poco 2125 tese per ora; ma che da Mequinez a Fez si faceva una lega nello stesso spazio di tempo.

CAPITOLO VIII.

Descrizione di Fez. - Governo. - Scienze. - Fabbriche. - Pianta narcotica. - Viveri. - Clima. - Terremoto.

La città di Fez è posta al grado 34 6′ 3″ di latitudine settentrionale, ed al 7° 18′ 30″ di longitudine occidentale dell'osservatorio di Parigi.

Molte osservazioni astronomiche fatte con eccellenti stromenti, benchè contrariate da un'atmosfera quasi sempre nebbiosa, il di cui termine medio ebbe l'enunciato risultato, non mi lasciano incerto rispetto alla loro precisione: ciò che dimostra l'erroneità delle carte d'Arrowsmith, del maggior Rennel, di Delille, di Golbewi e di Chénier. La casa, in cui ho fatto le mie osservazioni, è posta nel centro della città.

Fez è fabbricato sul pendio di varie colline che lo circondano da ogni banda, fuorchè da quella di nord-nord-est. Non è possibile di conoscere con esattezza la popolazione: si diceva, che attualmente ha cento mille abitanti, e che ne aveva due cento mille prima della peste.

Oscurissime ne sono le strade non solo a cagione

dell'essere anguste in modo di non ammettere due uomini a cavallo di fronte, ma ancora perchè le case, che sono altissime, hanno al primo piano delle arcate di sostegno, il che toglie loro molta luce: inconveniente reso maggiore da alcune gallerie, o passaggi, che danno superiormente accesso dall'una all'altra casa: devonsi a ciò aggiungere le muraglie traforate a guisa d'archi, che di tratto in tratto servono d'appoggio alle case dei due lati della strada. È questa un'usanza che trovai ugualmente stabilita a Tetovan e ad Alcassar. Tali arcate chiudonsi in tempo di notte, di modo che la città trovasi allora divisa in quartieri, che non possono comunicare gli uni cogli altri.

La sua posizione sopra piani inclinati, ed il declive di quasi tutte le strade, che non sono selciate, ne rendono il soggiorno disagiato, specialmente in tempo delle pioggie, duranti le quali non si può camminare senza imbrattarsi di fango fino al ginocchio. Pure quando non piove sono abbastanza proprie, perchè gli abitanti non vi lasciano immondezze; ma disaggradevole ne è sempre la vista, come nelle altre città dell'Affrica, perchè chiuse entro l'altissime muraglie delle case, che tutte sembrano minacciare rovina. Molte sono senza finestre, o con finestre della grandezza d'un foglio di carta ordinaria, e comunemente chiuse con griglie. Anche le porte sono anguste e meschine.

Dietro questi gran muri trovansi alcune case internamente abbastanza belle: ma generalmente parlando l'usanza del paese richiede, che un alloggio abbia un cortile fiancheggiato da colonne e da pilastri che sostengono le arcate e formano i portici a pian terreno, e ne' piani superiori. Da questi corritoj si entra nelle attigue camere, che per lo più non ricevono lume che dalla porta, cui si ha l'avvertenza di dare una grande apertura. Le camere sono assai lunghe e strette come quelle di Tanger; il palco fatto di tavole è altissimo, e d'ordinario senza verun ornamento; ma in alcune case ed i palchi e le porte delle camere e le arcate del cortile sono ornate dei rabeschi in basso rilievo, coperti a varj colori, ed anche con oro ed argento. I pavimenti delle camere e del cortile sono di mattoni, di majolica, e di marmi a varj colori formanti diversi disegni nelle case de' più ricchi abitanti. Anguste sono le scale ed i gradini troppo alti. I tetti delle case simili a quelli di Tanger, sono coperti di terra della spessezza d'un piede; carico immenso che ruina i muri senza garantirli dalle pioggie, i quali siccome sono costrutti con cattivo cemento, si sfranano bentosto: onde poche sono le case che resistano lungo tempo. In fatti vedonsi molte muraglie con larghe fenditure, o fuor di piombo, e quasi tutte in uno stato di estremo deperimento.

Infinito è il numero delle moschee di Fez, che da alcuni si portano a più di dugento. La principale chiamasi Il Caroubin; nella quale contansi più di trecento pilastri, ma la sua costruzione è pesante, e senza gusto. L'architettura e gli ornati l'avvicinano assai a quella di Tanger, se non che ha un assai maggior numero d'arcate, molte porte, e due belle fontane nel cortile. Non pertanto questo grande edificio così celebre, non può per alcun rispetto pareggiarsi alla cattedrale che vidi a Cordova in Ispagna, assai più magnifica e grandiosa. Generalmente parlando tutte le moschee da me vedute nel paese si rassomigliano: tutte hanno un cortile circondato da un portico, e dalla banda di mezzogiorno un quadrato o parallelogramo coperto e sostenuto da più ordini di arcate. In mezzo alla muraglia del fondo, che guarda al sud, o al sud-est trovasi El-MehreB, ossia la nicchia, in cui si pone l'Iman per dirigere la preghiera; al lato sinistro vedesi la piccola scala, e la tribuna detta El-Monbar per la predica del venerdì. Tutte queste cose trovansi pure nella cattedrale di Cordova; lo che prova, a mio credere, evidentemente essere questo un edificio religioso fabbricato dai mori, e non già un'opera Romana destinata ad un mercato, come credono alcuni abitanti di Cordova, probabilmente tratti in tale opinione dalle colonne di quel tempio, che altra volta appartenevano ad opere costrutte da quei padroni del mondo. E ciò che viene ad appoggiare maggiormente la mia asserzione, sono le arcate del parallelogramo rivolte al cortile di questa chiesa, che sono state modernamente chiuse: in Affrica le moschee le hanno semplicemente scoperte, come quelle dei tre altri lati del cortile; e tali erano pure quelle di Cordova prima che servisse al culto cristiano.

Il Caroubin, come tutti i monumenti di tal genere, non ha alcuno ornamento di pittura, ed il suolo è coperto di stuoje, come nelle altre moschee. Gl'inservienti custodiscono nella torre tre cattivi orologi a pendolo per regolare le ore della preghiera; e sonovi sul terrazzo due piccoli gnomoni o quadranti solari orizzontali per conoscere il punto del mezzogiorno. Prima del mio arrivo erano talmente disorientati, che marcavano il punto indicato quattro in cinque minuti prima; insegnai loro la maniera di rettificarli, ed ebbi il conforto d'udire annunciarsi la preghiera del mezzogiorno nell'istante conveniente.

Conservasi inoltre nella torre una sfera armillare, ed un globo celeste, fatti ambedue in Europa da più d'un secolo; e perchè i mussulmani non sanno adoperarli, questi stromenti sono colà abbandonati all'umidità, alla polvere, ai topi; di modo che non si possono quasi più vedere, non che leggere o conoscere i caratteri e le figure. Un'altra sala contiene una raccolta di libri egualmente trascurata, ed esposta agli stessi infortunj. Non ho mancato di fare le più diligenti indagini per scoprire il famoso codice delle storie di Tito Livio compiute, che supponevasi essere in questo luogo, ma tutte le mie ricerche tornarono vane, e niuno di coloro che io interpellai su tale oggetto, sapeva che avesse mai esistito in questa libreria. Avrei per altro spinte più avanti le mie ricerche, se avessi potuto farlo senza rendermi sospetto, e dar luogo a svantaggiose prevenzioni contro di me.

La moschea di Fez ha una cosa singolare, una camera chiusa destinata alle donne che vogliono intervenire alla preghiera pubblica. Niun'altra moschea, ch'io sappia, ne è provveduta, perciocchè avendo il nostro santo Profeta escluse le femmine dal paradiso, i musulmani ragionevolmente le hanno pure dispensate dall'obbligo d'intervenire alla pubblica preghiera.

Avvi pure un'altra nuova moschea terminata dall'attuale Sultano Muley Solimano, fatta con maggiore eleganza che le altre, avendo le arcate più svelte, ed i pilastri proporzionati, comecchè rispetto alla forma non differisca dalle altre.

La sola moschea di Fez affatto diversa dalle altre, ad in pari tempo la più frequentata, è quella dedicata al Sultano Muley Edris fondatore di Fez, e per conseguenza venerato come un santo. Le sue ceneri riposano in questo santuario, entro un mausoleo posto alla diritta della nicchia dell'Imam, e coperto d'una tela screziata a varj colori resa succida dalla devozione degli adoratori. Molte lumiere di vetro e di cristallo sono sospese nell'interno della sala quadrata, che questa moschea ha sul davanti invece del portico coperto. Ai due lati del sepolcro vedonsi due grandi coffani per ricevere le offerte pecuniarie, che per la grazia di Dio moltiplicandosi dai fedeli, fruttano assai più che le miniere scavate dai cristiani.

La torre, comecchè non lo sembri, per essere situata in luogo basso, è la più alta di Fez. Presso alla torre trovasi una gentile abitazione formata di varie camere, di dove la vista si perde in un estesissimo orizzonte. In una delle camere conservansi molti orologi a pendolo, due de' quali bellissimi. Ritengasi che questi sono fatti in Europa, giacchè in Affrica, non solo non se ne fanno, ma neppure si sa raccomodarli, o nettarli. Mi fu mostrato un vecchio orologio assai guasto, che si diceva fatto da un moro; ma non tardai a convincermi della falsità di tale asserzione.

Questo santuario è facilmente il più rispettato asilo dell'impero, poichè il maggior delinquente, fosse anche reo di lesa maestà e di alto tradimento, può rimanervi tranquillo, che niuno oserebbe arrestarlo. Le altre moschee sono piccole e meschine, tranne quella che ritrovasi nel palazzo del Sultano. Questo palazzo è composto di un grande numero di cortili, alcuni non terminati che per metà, altri mezzo rovinati, i quali servono d'ingresso agli appartamenti da me non veduti. Anche nel primo cortile trovansi guardie e porte chiuse, che vengono aperte soltanto agl'impiegati, ai domestici della casa, o alle persone particolarmente privilegiate.

Nel terzo cortile trovasi una casuccia di legno, somigliante a quella dei gabellieri in Europa, e vi si sale per quattro scaglioni. In sul davanti è coperta da una tela dipinta, ed il suolo da un tappeto. In faccia alla porta vedesi un letto con cortine; da un lato un soffà, e dall'altra un piccolo matterasso.

Questo gabinetto non ha più di quindici piedi quadrati; ed è il luogo in cui il Sultano, seduto sul soffà o steso sul letto, riceve le persone che hanno ottenuta la grazia d'essergli presentate, e che non s'avvanzano mai al di là della porta. Entranvi soltanto i favoriti, e siedono sul matterasso; parziale distinzione a me sempre accordata.

Nello stesso cortile trovasi una cappella, o piccola moschea dove il Sultano fa la sua preghiera giornaliera, fuorchè il venerdì, in cui recasi alla grande moschea del palazzo, che viene aperta al pubblico per mezzo di una porta che comunica colla strada.

Nel cortile trovasi la camera del ministro. È questa collocata in luogo basso ed umido a canto d'una piccola scala e può avere cinque piedi di larghezza, e sei di lunghezza; le pareti sono affatto annerite; e non sonovi altri mobili fuorchè un vecchio tappeto che copre il suolo. D'ordinario il ministro si sta accovacciato in un angolo di questo miserabile camerino con un calamajo di corno a lato, poche carte entro un fazzoletto di seta, ed un piccolo libro per annotarvi le cose di maggiore importanza. Quando sorte chiude il suo calamajo, avvolge nel fazzoletto le carte ed il libro, che si pone sotto il braccio, e porta seco, partendo, tutti i suoi archivj.

Il palazzo è situato sopra un'eminenza in un quartiere del sobborgo, che chiamasi la nuova Fez. I Giudei sono costretti di abitare in questo istesso quartiere, ove vengono chiusi in tempo di notte.

Del rimanente Fez non ha altri distinti edifici; perciocchè anche le case di Muley Abdsulem e di altri principali personaggi niente hanno al di fuori che le distingua da quelle del popolo, nè l'interno è troppo migliore, ove se ne eccettui il giardino. Il Sultano ha il suo presso al palazzo, il quale non è che un orto regolare con alcuni alberi, e qualche edificio che ne formano il principale ornamento.

Il fiume di Fez attraversa il palazzo, indi entrando nella città dividesi in due rami, dai quali derivasi l'acqua nelle moschee e nelle case; cosicchè quasi non trovasi casa che non abbia una fontana, e due ed anche più tutti i pubblici edificj. Sonovi nell'interno della città varj mulini ad acqua.

Se si dovesse calcolare la popolazione dalle botteghe si darebbero a Fez più di trecento mila abitanti. Ma conviene riflettere che questa quantità di botteghe forma una specie di fiera continua, ove gli abitanti de' vicini paesi, divisi in piccoli villaggi senza botteghe ed officine di alcuna sorte, devono prendere giornalmente tutto ciò che loro abbisogna. Numerosi assai sono i mercati di vettovaglia, ed abbondanti di ogni prodotto del suolo, come quelli d'Europa. Vi ti trovano pure molte botteghe ove si vendono vivande e manicaretti preparati, e locande come nelle grandi città europee.

Le arti, i mestieri, e le varie specie d'oggetti venali sono divisi per classi in separate contrade, onde se ne trovano molte in cui non vi sono che persone occupate della medesima professione; alcune sono piene di botteghe di drapperie, di seterie, di manifatture d'oltre mare, formando ciò che chiamasi El-Caïsseria. E quest'ultimo luogo trovasi abbondantemente provveduto di tutte le produzioni europee, di quelle del levante e dell'interno dell'Affrica.

El-Caïsseria, siccome diversi altri luoghi pieni di botteghe, ha un coperto di legno costrutto in modo che forma degli arabeschi, con apertura o finestre di varie forme. Generalmente queste strade sono tenute con molta politezza, quantunque siavi ogni giorno la gente affollata come in una fiera; e si potrebbero in qualche modo paragonare alle gallerie del palazzo reale di Parigi: vi s'incontrano ancora alcune belle musulmane, quantunque sempre avviluppate in quei loro misteriosi hhaïke, che per altro sanno opportunamente aprire.

Fez abbonda di bagni pubblici, alcuni de' quali composti di molte camere gradatamente più calde le une delle altre; onde ognuno rimane in quella che più gli conviene. In tutte queste sale trovansi vasche in cui scende continuamente dalle caldaje poste al di dietro l'acqua calda, come pure varie qualità di vasi per bagnarsi e fare le abluzioni legali. Ho di già osservato altrove, che quando entrasi in queste sale tutto il corpo copresi d'una sottil rugiada, per essere la loro atmosfera saturata affatto dei vapori dell'acqua calda.

Avendo portato il termometro nell'ultima sala al migliore de' bagni pubblici, e per conseguenza nella più calda, segnò il trentesimo grado di Reaumur; in due sale meno rimote, ov'io mi spogliavo, ventidue gradi; all'aria aperta nove. Nella sala esteriore avvi una fontana che getta un grosso filo d'acqua in una vaghissima vasca di marmo. Tutte le sale sono fatte a volta e senza finestre, e ricevono la luce da alcuni fori praticati nella volta, e chiusi con vetri. Il suolo è lastricato di marmi a varj colori, ed in ogni sala, riscaldata al di sotto, sonovi diversi piccoli gabinetti per coloro che amano di rimaner soli, e farvi le abluzioni. I bagni sono aperti tutto il giorno, e gli uomini vi vanno la mattina, le donne dopo il mezzogiorno. Io v'andavo ordinariamente la notte, prendendo per me tutta la casa dei bagni, onde non vi fossero altri forestieri, ma soltanto gli amici che conducevo meco, e due miei domestici. La prima volta che vi andai, avendo osservato ch'eranvi dei secchi d'acqua calda simmetricamente disposti negli angoli d'ogni sala, e d'ogni gabinetto, chiesi a qual uso servivano: non toccateli, signore, non toccateli, mi risposero premurosamente le persone del bagno - perchè? - Queste acque sono destinate per quelli di sotto - chi sono questi di sotto? - I demonj che vengono a bagnarsi la notte. E qui cominciarono a contarmi mille sciocchierie su quest'argomento; ma perchè già da qualche tempo ho dichiarato guerra ai diavoli dell'inferno, ed ai loro luogotenenti sulla terra, ebbi la soddisfazione d'impiegare nel mio bagno l'acqua di alcuni di questi secchi, togliendo ai poveri diavoli parte della loro provvisione.

Fez possiede un ricchissimo spedale unicamente destinato alla cura dei pazzi. Ma ciò che v'ha di più singolare si è, che una gran parte delle entrate fu per testamento lasciata allo spedale da persone caritatevoli per assistere, medicare e mantenere le grù e le cigogne ammalate - Credesi che le cigogne siano uomini di certe lontanissime isole, che in alcune stagioni dell'anno prendono la figura d'uccello per venire a Fez, e che all'epoca conveniente tornano al loro paese, ove riprendono la deposta forma di uomo. Dietro tale opinione è creduto colpevole d'omicidio colui che uccide uno di questi uccelli, e si fanno a questo proposito mille strani racconti. Utile senza dubbio è il rispetto che si porta a questi uccelli distruggitori de' rettili, così abbondanti ne' climi caldi, e perciò la saviezza de' nostri antenati volle che fossero riguardati quali esseri benefici; ma l'amore del maraviglioso che ha tanta forza sullo spirito dell'uomo, sostituì ad una cagione vera assurde favole, che danno lo stesso risultato.

Il governo di Fez ha la stessa forma di quello delle altre città dell'impero. Il kaïd, ossia governatore, che è il luogotenente del sovrano, vi esercita il potere esecutivo; il kadi vi amministra la giustizia; un ministro detto almotassèr determina i prezzi delle vettovaglie, e giudica gli affari relativi a questo ramo di pubblico servizio. Il governatore ha pochi soldati ai suoi ordini; ed alle porte della città ed a quelle di alcune strade non vidi mai guardie, ma soltanto i portinaj.

Vastissime mura circondano la città; ma essendo antiche assai trovansi in pessimo stato: circondano, oltre la città, la nuova Fez, e molti ampi giardini. Sulle due eminenze che stanno all'est ed all'ouest vedonsi due vecchissimi castelli composti di un semplice quadrato di muraglie di circa sessanta piedi per ogni lato; e si dice esservi delle strade coperte che vanno dalla città ai castelli. In occasione di ammutinamento del popolo vi si collocano cent'uomini con alcuni pezzi di cannone, meschinissima difesa.

Questa città è provveduta di molte scuole, delle quali le più ragguardevoli sono quelle delle moschee del Caroubin e di Muley Edris in una piccola casa e moschea detta Emdarsa, o accademia. Il lettore si figuri un uomo seduto in terra colle gambe incrocicchiate, che mette spaventose grida, o salmeggia in tuono lugubre: lo circondano quindici o venti giovanetti seduti in circolo intorno a lui coi loro libri, o con il calamajo in mano ripetendo quasi simultaneamente al maestro le acute grida, o la salmodia con una perfettissima dissonanza: il lettore, com'io dicevo, figurisi questo grottesco quadro, ed avrà una perfetta idea di tali scuole. Rispetto alle cose che vi s'insegnano, posso assicurare, che quantunque sotto diversi nomi, non vi s'insegna che una sola cosa; la morale e la legislazione identificate col culto e coi dommi; o per dir meglio, che tutti gli studi si ristringono al solo Corano, ed agli spositori del medesimo, ad alcune superficiali regole di grammatica e di dialettica, indispensabile a chi vuol leggere ed intendere alcun poco il divin testo. Per quanto ho potuto osservare, i commentatori sogliono d'ordinario affogare in un mare di sottigliezze, o di pretese dottrine metafisiche i loro ragionamenti, che non intendono essi medesimi, e nascondendo la loro ignoranza con intralciati argomenti, quando non sanno più trovar via per uscire dal geneprajo, chiamano in loro soccorso la predestinazione, e l'assoluta volontà di Dio.

Questi dotti sono eterni disputatori in verba magistri: perchè non intendendo punto la tesi che hanno presa a difendere, s'appoggiano alla parola del maestro, o del libro, che citano a dritto ed a rovescio. E siccome non v'è ragione che possa bilanciare l'autorità del rispettivo maestro, o la sentenza del proprio libro, così le loro dispute non si possono in verun modo conciliare.

Molti de' più principali eruditi di Fez venivano

frequentemente alla mia conversazione; e perciò fui più volte testimonio delle nojose, ed interminabili loro dispute. In vista di che, approfittando della opinione di cui godeva, li riducevo al silenzio; ma desiderando di conseguire un maggiore e più utile effetto, risolsi di rendere sospette le dottrine insegnate dai loro maestri e dai loro libri; ed infatti con tale preliminare io aprivo a costoro una nuova carriera, la di cui perfettibilità veniva paralizzata da questa specie di stagnazione spirituale.

Adottata tale massima entravo frequentemente nelle loro dispute, e quando con evidentissimi argomenti otteneva di ridurli al silenzio, e che per rispondermi erano costretti di citarmi la sentenza che appoggiava la loro opinione; io gli chiedevo: chi scrisse questo? - Un tale - chi è quest'uomo? - Un uomo come gli altri. - Dietro la vostra confessione, soggiungevo loro, io non presterò fede ai suoi detti quando lasci d'essere ragionevole; io l'abbandonerò all'istante ch'egli s'allontani dalla verità per vendere sofismi.

Riusciva loro così nuova questa maniera di parlare, che le prime volte rimanevano stupidi ed interdetti, guardandosi vicendevolmente. Dopo alcun tempo li avvezzai a ragionare (cosa affatto trascurata nella loro educazione) ed a scordarsi a poco a poco di quelle insulse risposte, di cui facevano in addietro così frequente uso. Non tardai per altro ad avvedermi, che questi dottori cadevano in un altro non meno grave inconveniente, ed era quello di citare nelle loro dispute i miei detti; mostrando così d'aver cambiato bandiera, ma non il consueto modo di combattere.

Io andavo loro le mille volte ripetendo, che non dovevano giammai sostenere una quistione qualunque coll'argomento lo ha detto Ali Bey; ma che dovevano prima d'entrare in disputa spassionatamente esaminare, se la tale o tale altra opinione poteva essere vera; e che soltanto nel caso affermativo, era permesso d'entrare in disputa. Finalmente ne ottenni il desiderato effetto; sicchè posso, senza millanteria lusingarmi, che questa scintilla di luce produrrà a lungo andare presso que' popoli una felice rivoluzione nel sistema scientifico. Essi rispettano la geometria d'Euclide, che mi fu presentata in due grandi volumi in foglio assai corrosi, perchè niuno ha il coraggio di leggere, meno poi di trascrivere, tranne le prime dodici o quindici pagine. La cosmogonia è quella del Corano figlia del Pentateuco; e la cosmografia è quella di Tolomeo chiamato B-tlàïmous. La scienza astronomica è circoscritta a pochi principj necessarj per determinare con astrolabj assai grossolani le ore del sole. Rispetto alle matematiche essi non conoscono che la soluzione di pochissimi problemi. Nulla dirò della geografia, che non si studia, e della fisica aristotelica studiata superficialmente. La sola metafisica è il campo di battaglia in cui si esercitano continuamente, anzi dirò meglio, dove i dottori consumano tutte le loro forze morali. Presso questi popoli, che pure hanno qualche nozione dell'alchimia, e tra' quali trovansi alcuni miserabili adepti, non esiste ancora la chimica. La religione ha interamente sbandita l'anatomia in opposizione alla purità legale, alle idee intorno ai morti, alla separazione dei sessi ec. Lo studio della medicina si limita a quello di alcuni libri empirici ignorando quasi perfino l'esistenza de' grandi maestri antichi; onde la terapeutica è sempre accompagnata da procedure crudeli, e da pratiche superstiziose. I medesimi ostacoli che impediscono lo studio dell'anatomia, non permettono pure d'applicarsi alla storia naturale. È noto a tutti che la legge proscrive le statue e le dipinture d'oggetti animati; e che la gravità musulmana abbandona alle femmine ed alle ultime classi del popolo la musica e la danza; e per tal modo si privano delle belle arti, e delle aggradevoli occupazioni che ne derivano.

Lo studio dell'astronomia confondesi con quello dell'astrologia, e perciò coloro che osservano il cielo per saper l'ora, o scoprire la nuova luna, vengono del popolo riputati astrologhi, indovini, che predicono la sorte futura del re, dell'impero, dei privati. Possedono varj libri d'astrologia, e coloro che si applicano a questo vano studio sono assai riputati, e facilmente ottengono le principali cariche di corte per l'influenza che si crede esercitarsi dall'astrologia sugli affari pubblici e privati. Siccome avevo dichiarato aperta guerra all'astrologia ed all'alchimia, incominciavo ad averne alcuni felici effetti; ed a forza di regionamenti non solo ottenni di abbattere, ma ancora di convincere alcuni dalla vanità e dell'impostura degli astrologi e degli alchimisti.

Ma un'occasione clamorosa mi si presentò per convincermi che l'astronomia era del tutto confusa coll'astrologia, quando il primo astronomo di Fez mi chiese caldamente di dargli la longitudine e la latitudine di tutti i pianeti il primo giorno dell'anno, onde formarne il suo calcolo, e predire se l'anno sarebbe buono o cattivo, ec. Io gli risposi francamente, non doversi profanare la scienza presso che divina dell'astronomia coi sogni e colla ciarlataneria dell'astrologia; gli parlai con estremo disprezzo della divinazione, facendogli sentire che l'arbitrario incominciamento dell'anno ne' differenti calendarj non poteva avere il menomo rapporto colla natura; e terminai l'arringa, dimostrandogli colla ragione, e col Corano medesimo, che l'esercizio dell'astrologia è un delitto: la quale sentenza proclamata da molti dottori o fakih, mi fece salutare loro fratello.

Siccome questa scena ebbe luogo in presenza di molte persone; ed altronde non si pubblicò in Fez dagli astronomi l'annuale predizione, in vece della quale pubblicai io il mio calcolo dei giorni in cui doveano vedersi le nuove lune; lo che diviene sommamente importante per conoscere il cominciamento dei mesi arabi, le pasque, e le cinque preghiere giornaliere, che marcai di cinque in cinque giorni per tutto l'anno, come pure gli eclissi, ed altri fenomeni, tutte cose non eseguibili da quegli astronomi; fu questo un colpo di fulmine che atterrò l'astrologia, e cuoprì di disprezzo i suoi seguaci di modo, che molti ciarlatani apostatarono, altri più tenaci delle loro opinioni, si ridussero al silenzio, in aspettazione, senza dubbio, che passi la burrasca, e che il popolo, che vuol essere ingannato, torni alle antiche abitudini.

Sonovi nell'imperio alcuni storiografi che scrivono la storia del paese e della nazione, ignorando perfettamente quella degli altri popoli, ma le loro opere trovano pochisimi lettori.

Estremo è il decadimento della lingua. Essi non hanno stamperie; e la somma imperfezione della scrittura procede dal confondere frequentemente le lettere, i punti, e gli accenti: ecco un ammasso di cause riunite per distruggere affatto le poche cognizioni scientifiche che ancora rimangono in quest'impero, talchè gli abbitanti non s'intendono spesse volte tra di loro. Finalmente il disordine è ridotto a tal segno, che spesse volte una lettera non può intendersi che da quello che la scrisse. Ciò rende ragione perchè quando il celebre orientalista

Cristiano Golius venne in questo paese, non potè intendere una sola parola araba, e fu costretto di valersi di un interprete.

Tale imperfezione della lingua e della scrittura gli sforza a legger sempre cantando, cosa che confonde il senso delle frasi, altronde non distinte dai segni ortografici, ma soltanto per ritornelli, o cadenze; dando così tempo al lettore d'intendere la parola scritta, che non intenderebbe leggendo correntemente. Se vedonsi alcuni leggere con rapidità il Corano, o altro libro, è perchè lo sanno a memoria. Lo asserisco dopo averne più volte fatta la prova: facendo sospendere la lettura, il lettore, quantunque avesse il libro sotto gli occhi come se l'avesse letto, esso non poteva più continuare nè riconoscere sulla pagina il luogo in cui aveva lasciato di leggere; cosicchè si può dire che costoro leggono come pappagalli; ad altro non servendo il libro che tengonsi innanzi agli occhi, che a dar loro un'aria di sapere o d'importanza. A questo termine sono ridotte le scienze a Fez, città che può risguardarsi, se mi si permette quest'espressione, come l'Atene dell'Affrica, per l'infinito numero de' dottori sedicentisi dotti, e per le scuole frequentate da due mille scolari per volta.

Questa città può avere circa due mille famiglie ebree che abitano nel sobborgo della nuova Fez. Tale è l'avvilimento, a cui sono ridotti, tanto il disprezzo del popolo per questa gente, che non è loro permesso di scendere in città siano uomini siano donne, che a piedi nudi. E nel loro quartiere, e nella campagna quand'incontrano l'ultimo de' soldati, o il più miserabile nero della famiglia del re, sono obbligati di cavarsi le loro pappuzze. A fronte di tanto avvilimento, e dei continui disgusti che loro proccurano i mori, io vidi in Fez moltissime belle Giudee riccamente abbigliate, e molti Giudei ugualmente ben addobbati; lo che non mi accadde di vedere a Tanger: indubitata prova, che non sono a Fez così poveri come a Tanger. Hanno nel loro quartiere diverse sinagoghe, un mercato ben provveduto, e tutti sono o mercanti, o artigiani.

Le fabbriche di Fez somministrano hhaïk di lana, cinture e fazzoletti di seta o pappuzze di cuoio, bournou, pantoffole, berrette rosse, cattiva tela di lino, eccellenti tappeti, ch'io trovo preferibili a quelli di Turchia rispetto alla morbidezza, ma inferiori assai per conto del disegno, cattiva majolica, armi, sellerie, ed altri articoli di rame. Sonovi ancora molti orefici; ma perchè la legge non permette oro ed argento negli abiti, e perchè sotto un governo dispotico ognuno teme di far pompa di soverchio lusso, le arti mancano d'incoraggiamento, e rimangono molto al di sotto di quelle d'Europa, ad eccezione delle acconciature de' cuoi, e delle manifatture dei tappeti, e dei hhaïk . Sanno inoltre lavorar bene le cere e le armi.

Sane e saporite sono le vettovaglie di Fez. Il concoussou forma la base della sussistenza del popolo. Vi si mangia molta carne, e pochisimi legumi ed erbaggi. Nella carne preferiscono il grasso o il sevo, ch'essi mangiano avidamente, bevendo tosto grandissimi bicchieri d'acqua, lo che talvolta è cagione di malattie; ma generalmente parlando essendo il clima molto sano, vi si gode ottima salute.

Questo paese dà un abbondante raccolto d'una pianta narcotica chiamata kiff. Essendo una pianta della primavera non potei vederla che disseccata e quasi ridotta in polvere. Per farne uso si pone intiera in un vaso di terra con molto buttiro, indi si fa bollire per lo spazio di dodici ore, poi si feltra il buttiro, che serve ad acconciare le vivande, o si mischia colle confetture, o vien mangiato semplicemente in pillole. La sua virtù ha tanta energia, che in qualunque modo si prenda non lascia di produrre il suo effetto: alcuni fumano le foglie di questa pianta come il tabacco. Mi fu detto che la sua virtù non è altrimenti quella d'ubbriacare, ma bensì di rallegrare la fantasia con ridenti immagini. Confesso di non essere mai stato tentato di farne la prova.

Essendomi trattenuto a Fez in tempo d'inverno, non vidi quasi altri frutti, che aranci e limoni dolci di eccellente qualità. I dattili di varie sorti provengono dalla banda del mezzodì, da Taffilet. La carne di montone è migliore di quella di vacca e di bue. I mercati abbondano di pollami in modo, che se ne può comperare una dozzina con quattro o cinque franchi; e per lo stesso prezzo si hanno venti libbre di carne. Quantunque il pane de' fornai sia assai buono, quasi tutti gli abitanti usano di farlo in casa; onde si vedono per le strade piccoli ragazzi portare al forno sopra una tavola cinque o sei pani che si danno loro in ogni casa, e riportarli dopo cucinati a quella cui appartengono. Universale è il costume di bere il latte agro, ma io non potei avvezzarmi a tale bevanda.

Durante la mia dimora in Fez il clima fu assai dolce; ma fui assicurato che nella state vi si soffre un caldo soffocante. Nell'inverno io vi provai il freddo d'Europa, benchè il termometro di Reaumur non scendesse mai oltre il quarto grado sotto lo zero; ed il termine medio del barometro è presso a pocco di 27 pollici. L'abbondanza delle acque mantiene l'atmosfera in un alto grado d'umidità, e quasi sempre con una tale abbondanza di vapori, che giungono essi soli ad impedire le osservazioni astronomiche nelle giornate più serene. Il 13 gennajo si sentì a Fez quel tremuoto, che cagionò tanta rovina a Motril su la costa di Spagna, e che fu sensibile anche a Madrid. Incominciò a cinque ore e trentanove minuti precisi della sera, durò venti secondi, e fece trenta oscillazioni, assai forti le prime quattro o sei, le successive abbastanza sensibili: la sua direzione ondulatoria sembrava da levante a ponente. Io sono di sentimento, che il suo centro fosse sotto lo stretto di Gibilterra, e si stendesse otto gradi in latitudine al Nord ed al sud. Molti giorni avanti e dopo questo tremuoto, il barometro, il termometro, e l'igrometro soffrirono piccolissime variazioni, e l'atmosfera fu, come al solito, senza apparente cambiamento.

I pesi, le misure, le monete, qui ed in tutto l'impero sono come quelle descritte all'articolo di Tanger.

CAPITOLO IX.

Religione. - Storia del profeta. - De' suoi successori.

Gli scrittori di tutte le nazioni hanno parlato della religione musulmana, e del nostro profeta. Le buone o cattive sorgenti, da cui ognuno attinse i suoi materiali, ed il passaggio di questi a traverso de' pregiudizi, delle passioni, dell'entusiasmo, e dirò ancora della filosofia, hanno più o meno travisati i loro racconti. Se io non iscrivessi che pei musulmani, sopprimerei questo articolo; ma siccome nelle mie occupazioni mi sono sempre proposto l'istruzione di tutti gli uomini, qualunque sia la nazione ed il culto a cui appartengono, ho creduto necessario, pubblicando la descrizione de' paesi soggetti all'Islamismo, di risparmiare al lettore l'incomodo di cercare in altri libri la storia di questa religione e quella del suo legislatore, che si trasse dietro la quinta parte degli abitanti del globo. Il grand'uomo Mouhhammed nacque alla Mecca il 10 del mese Rabiul-aoüal dell'anno 6163 del mondo, secondo la nostra cronologia musulmana, o dell'anno 578 dalla nascita di Gesù Cristo.

Rimasto orfano in tenera età, fu allevato da uno de' suoi zii. La sua buona condotta gli guadagnò la stima de' suoi concittadini, e gli procurò impiego nella casa della ricca vedova Kadijé, che, invaghitasi di così interessante giovane, lo fece bentosto suo sposo.

Mouhhammed commerciava come gli altri Arabi, vale a dire viaggiando alla testa dei suoi cammelli, e de' suoi domestici. Questo genere di vita gli diede opportunità di conoscere le varie nazioni che confinavano col suo paese. Fornito di grandi talenti, e di sicuro giudizio, si procurò ne' suoi viaggi periodici quelle nozioni, che meditate poi negl'intervalli di riposo, lo resero capace di concepire grandissimi disegni.

Il primo foglio del Kour'ann comparve nell'anno quarantesimo della sua età. Gli fu recato dall'angelo del Signore? L'assicurano i Musulmani; lo negheranno coloro che professano altre religioni. Fu un concepimento del suo genio? I fedeli credenti diranno di nò; gl'infedeli di sì. Ma non entra nella natura di quest'opera una tale quistione.

Il grand'uomo elevato al rango di profeta non confidò che alle persone più care le prime sue rivelazioni, e gli credettero sulla sua parola. Le comunicò in appresso in una adunanza de' principali individui della sua tribù che era quella dei Kourèish, la più illustre della Mecca. La grazia della fede non fu sventuratamente accordata a tutti, e vi è una divisione tra i suoi più prossimi parenti.

I Mekkaovis, o Mecchesi erano idolatri, onde l'uomo che loro presentava le sublimi idee d'un Dio unico eterno, immenso, onnipossente, finalmente una causa unica di un'opera disposta sopra un piano d'un'ammirabile armonia, quest'uomo doveva necessariamente guadagnarsi molti partigiani. Ma altronde il tempio della Mecca, detto Kaàba, era pieno di idoli, a cui le vicine nazioni venivano ad arrecare le loro offerte che naturalmente erano la più ricca e miglior parte del patrimonio dei Koureis preti o ministri della Kaiba, e perciò questi avevano ragione di temere che la caduta degli idoli non distruggesse il loro credito e le loro ricchezze. Era dunque questa tribù più d'ogni altra interessata a conservare l'antico culto, e doveva naturalmente opporsi a chiunque tentasse di abbatterlo.

Ciò infatti accadde. Il profeta incominciò a

predicare la nuova dottrina pubblicamente, e si fece un infinito numero di proseliti. I Koureisch allora si unirono e giurarono di perderlo. Esposto ad ogni sorta di persecuzioni, minacciato della vita, il profeta fu costretto di abbandonare segretamente la patria nella notte in cui doveva essere assassinato . Sortì della Mecca, accompagnato soltanto da Abubèkr, e da un giovane idolatra chiamato Abdallà. Questa celebre notte è il punto d'onde ha principio l'era dei Musulmani: gli Arabi la domandano el hòjera, ed i cristiani l'Egira cioè la fuga. Essa corrisponde all'anno 631 della nascita di Gesù Cristo.

Il profeta passò a Medina ove i suoi insegnamenti erano già stati accolti con entusiasmo e dove lo avevano preceduto i suoi fedeli discepoli. Colà stabilì la sua dimora, ed incominciò ad appoggiare la sua missione colla forza delle armi. Bentosto il Dio di Mosè, di Giosuè, di Carlo IX, d'Innocenzo III, d'Oneal, e di Pizzarro copre colle protettrici sue ali le imprese di Maometto.

Dopo molti combattimenti il gran Dio degli eserciti sottomise la Mecca al profeta che vi entrò da vincitore alla testa di dieci mille uomini il 20, venerdì del Ramandan, dell'Egira (22 gennaro 639). Atterrò tutti gli idoli e le statue che adoravansi in quel tempio, lo purificò dai rottami di quegli empj simulacri, e restituì la Kàaha all'oggetto della prima sua istituzione, che è l'adorazione d'un Dio unico ed invisibile.

Padrone della Mecca, il profeta non tardò ad assoggettare al suo dominio le vicine contrade. Intanto ebbe in diversi tempi celesti rivelazioni, e le parole di Dio si promulgarono dalla sua bocca, resa sacra negl'istanti in cui le circostanze richiedevano una divina dichiarazione. In tal modo s'estese l'islamismo e si consolidò col potere del profeta fino alla sua morte, accaduta in Medina un lunedì del mese Saffar l'anno 73 dell'età sua, 641 di Cristo. Il suo corpo fu seppellito entro una fossa aperta nella di lui casa, e coperto colla medesima terra senza alcun mausoleo. La casa fu poi convertita in un tempio.

Siccome il profeta non lasciava figli maschi e non aveva nulla determinato intorno alla sua successione alla suprema dignità, nacquero contese tra i fedeli relativamente all'occupazione del trono rimasto vacante per la sua morte, che s'andarono poi rinnovando qualunque volta mancava uno de' suoi successori i quali presero il titolo di hhalipha cioè Califfo, o luogotenente del profeta. Dopo i primi quattro califfi, cioè Abubèhr, Omar, Othman, ed Ali, che sono i soli riguardati come veri califfi universali, la dominazione passò successivamente a diverse dinastie, tra le quali si distinse quella degli Abbàssi o Abbassidi, sceriffi discendenti d'Aboulàbbas, zio del profeta, pel lungo spazio di tempo ch'ella consacrò il trono, e per la protezione che alcuni dei califfi di questa dinastìa accordarono alle scienze ed alle arti. Fu sotto il loro regno che l'islamismo si stese dalle frontiere della China fino allo stretto di Gibilterra con una sì sorprendente rapidità, che non può essere paragonata alla marcia d'alcun'altra religione conosciuta.

Malgrado così splendida carriera l'islamismo era interamente lacerato da scismi che dividevano, ed ancora dividono i suoi settatori. I Persiani negarono la legittimità dei tre primi califfi, e li risguardarono come intrusi, non ammettendo a quest'alto favore che il solo Ali che presso loro passa per il vero califfo successore di Maometto; opinione che cagionò sanguinose guerre, e fece risguardare i

Persiani quali eretici. Una folla di pseudo-profeti sorsero in seguito ad abbattere colla spada alla mano questo culto sublime, e gli anticaliffi turbarono la pace de' fedeli. Finalmente l'ambizione de' guerrieri squarciò in brani quest'impero colossale; molti capi si resero indipendenti, e scomparve il califfato.

L'Islam secondo El-Haddis è fabbricato sopra cinque fondamenti che sono: fare la professione della fede non v'è altro che un Dio, e Maometto è l'inviato di Dio; fare la preghiera; dare l'elemosina; digiunare il ramadan, ed eseguire il pellegrinaggio alla casa di Dio la proibita ai non Musulmani.

A fronte di tanta semplicità non avvi forse sulla terra altra religione con tanti espositori e commentatori.

Il culto è diviso in quattro riti ortodossi chiamati il hhàneffi, il màleki, il hhànbeli ed il schàffi, dal nome dei quattro Imani loro fondatori. Il primo di questi riti è quello dei Turchi, il secondo dei Marocchini e degli Arabi occidentali; gli altri due sono seguiti da varie tribù e nazioni dell'Arabia e dell'Asia. Tali riti si avvicinano interamente rispetto al domma, e tutta la diversità loro trovasi nelle cerimonie religiose.

Per esempio quando si è alzati per fare la preghiera, i hhàneffi incrociano le braccia, ed i màleki le tengono pendenti. Nell'abluzione legale mentre gli uni incominciano dalla punta delle dita per andare fino al gomito, gli altri cominciano dal gomito per andare alla punta delle dita.

Per presentarsi al creatore, e meritarsi i suoi sguardi, pensano i musulmani che il loro corpo debba essere affatto pulito; ed a tale effetto furono istituite le abluzioni legali, che consistono nel lavarsi tre volte di seguito le mani; l'interno della bocca e delle narici, il volto, le braccia, la testa, l'interno delle orecchie, la nucca ed i piedi. Sonovi inoltre le abluzioni generali che si fanno lavandosi tutto il corpo dal capo ai piedi, il venerdì avanti la preghiera del mezzogiorno, e dopo certi atti quali sono la coabitazione con una donna ec. Ne' luoghi ove non trovasi acqua può farsi l'abluzione colla terra o coll'arena; ed in tal modo si eseguisce nel deserto. Si può ancora fare l'abluzione strofinandosi colle mani dopo averle tenute sopra una pietra, ed in questa forma fanno le abluzioni i naviganti, perchè si risguarda l'acqua del mare come immonda ed inutile per quest'oggetto.

Ogni musulmano deve recitare cinque volte al giorno la preghiera: la prima volta allo spuntare dell'aurora, o quando il sole trovasi diciotto gradi sotto l'orizzonte, voltandosi a levante; lo che chiamasi Es-sebàh; la seconda dopo mezzogiorno nell'istante in cui l'ombra del gnomone o d'un bastone posto perpendicolarmente al sole sarà uguale al quarto della sua lunghezza; e si dice Ed-douhòur; la terza quando l'ombra del bastone, o del gnomone sarà uguale alla sua lunghezza; ed è l'El-àssar; la quarta deve farsi allorchè il sole tramonta affatto; e le si dà il nome di El-mogarèB; finalmente si recita la quinta nell'istante del crepuscolo della notte, ossia quando il sole trovasi diciotto gradi sotto l'orizzonte dalla banda d'occidente, ed è contrassegnata dal vocabolo El-Aascha .

Ogni preghiera canonica è composta dell'invocazione, di molti rikat, e della salutazione. Un rikat si compone di sette posizioni del corpo con differenti preghiere; eccone la forma col tenore della preghiera:

INVOCAZIONE.

Il corpo diritto, ambo le mani sollevate all'altezza delle orecchie, si dice:

Grandissimo Dio!

Primo Rikat.

Prima positura. - In piedi colle braccia e le mani pendenti pei malecki, o le braccia incrocicchiate pei hhanneffis; si recita il primo capitolo del Corano, che è intitolato El-Fatha: eccolo
Sia lode a Dio! Signore del mondo clementissimo, misericordiosissimo, re del giorno dell'estremo giudizio, noi ti adoriamo, ed imploriamo la tua assistenza; reggici sul retto cammino, il cammino di coloro che tu hai colmati de' tuoi beneficj, di coloro che sono senza corruzione, e non appartengono al numero degli smarriti. E così sia.
Dopo si recita un capitolo, o alcuni versetti del Corano nella medesima attitudine.
Seconda positura. - Si piega tutta la parte superiore del corpo, appoggiando le mani sulle ginocchia, e si esclama ad alta voce:

Grandissimo Dio!

Terza positura. - Si rialza dicendo:

Dio ascolta quando lo lodiamo.

Quarta positura. - Prostrato, le ginocchia, le mani, il naso e la fronte a terra, si dice:

Grandissimo Dio!

Quinta positura. - Seduto sui talloni colle mani sulle coscie, si grida:

Grandissimo Dio!

Sesta positura. - Prostrandosi come prima si pronuncia:

Grandissimo Dio!

Settima positura. - Si alza in piedi senza appoggiare le mani a terra, se è possibile, e si fa udire l'esclamazione:

Grandissimo Dio!

In tal modo finisce il primo rikat, dopo il quale si dà cominciamento al secondo.

A queste secondo rikat, dopo avere eseguite le sei prime positure, la settima consiste nel sedersi sui talloni come alla quinta ripetendo.

Grandissimo Dio!

Poscia si aggiunge:

Le vigilie sono per Dio, come pure le preghiere e l'elemosine. Salute e pace a te, o Profeta di Dio! Che la misericordia del Signore e la sua benedizione siano sopra di te. Salute e pace a noi, ed a tutti i servitori di Dio, giusti e virtuosi! Attesto che non v'ha Dio, se non Dio unico, ed attesto che Maometto è il suo servitore ed il suo Profeta.

Se la preghiera non deve avere che due rikat, si recita nella medesima positura la seguente addizione dopo la preghiera da noi indicata.

Ed attesto essere stato lui che chiamò a se Maometto; ed attesto l'esistenza del Paradiso e quella dell'Inferno, e quella del sirat , e quella della bilancia , e quella dell'eterna felicità accordata a quelli che non ne dubitano, e che davvero Dio li risusciterà dal sepolcro. O mio Do! dà la tua salute di pace a Maometto, ed alla razza di Maometto, come tu donasti la tua salute di pace ad Ibraim (o Abramo); e benedici Maometto, e la razza di Maometto, come hai benedetto Ibrahim, e la razza di Ibrahim. Le grazie, le lodi, e l'esaltamento di gloria siano in te, e per te.

CONCLUSIONE O SALUTAZIONE.

Seduto col collo rivolto a diritta, poi a sinistra, si ripete da ogni lato la salutazione:

La pace sia con voi!

Ciò costituisce una perfetta preghiera; ma quando deve avere tre rikat, non si recita l'addizione, e la conclusione che alla fine del terzo, in tutto somigliante al secondo. Se la preghiera deve avere quattro rikat, alla fine del secondo, e senza l'addizione si recitano le due ultime come le prime due, aggiungendo l'addizione, e la conclusione al quarto.

Prima d'incominciare le preghiere canoniche si fa la seguente invocazione:

Grandissimo Iddio! Dio grandissimo! Attesto non esservi altro Dio, fuorchè Dio; attesto che il nostro Signore Maometto è il profeta di Dio; attesto che il nostro Signor Maometto è il profeta di Dio. Venite alla preghiera; venite nell'asilo, (o tempio di salute) venite nell'asilo. Grandissimo Iddio! Dio grandissimo! non avvi altro Dio fuorchè Dio!

Questa convocazione viene così gridata dall'alto delle torri delle moschee cinque volte al giorno per chiamare i fedeli, o almeno per annunciare al popolo l'ora della preghiera, che ognuno può fare nel luogo in cui si trova, ad eccezione di quella del venerdì, che dev'essere fatta in comune nella moschea. Alla convocazione del mattino dopo il secondo aï-a-elefelàh, si aggiunge:

La preghiera è migliore del sonno.
La preghiera è migliore del sonno.

L'uomo incaricato di gridare chiamasi el Mudden.

Avvi poi un secondo Mudden nella moschea, che recita o canta la convocazione, ed Allàhou aki bàr ad ogni posizione del rikat, come altresì la conclusione Assalàmou salèïkom.

Dopo cadauna preghiera canonica, si fa uso della corona, e si pronuncia:

Al primo grano

O Dio Santo!

Al secondo grano

Sia data lode a Dio!

Al terzo grano

Grandissimo Dio!

Ed in tal maniera si passano i novantanove grani della corona musulmana.

E siccome nella preghiera canonica il musulmano non deve chiedere a Dio alcun bene di questa terra; così d'ordinario, dopo avere terminata la corona, si ha il costume di giungere le mani, indi alzarle nell'attitudine conveniente all'uomo che riceverebbe alcuna cosa proveniente dall'alto: allora si domanda in tale atto ciò che si brama, e dopo avere fatta tale preghiera si passa la mano destra sulla barba dicendo:

Dio sia lodato!

Questa formola termina la preghiera.

Vuole la costumanza che ogni venerdì si vada alla moschea almeno mezz'ora prima della venuta dell'Imano. Appena entrati si fa una breve preghiera composta di due rikats, poscia si siede, e si seguita a recitar preghiere a memoria quando però non si preferisca la lettura di qualche libro santo, e principalmente quello intitolato: Dalil al Hhiratz.

Prima d'incominciare la preghiera del venerdì l'Imano fa un sermone al popolo.

Il Corano, oltre la divisione dei souras o capitoli, è diviso in trenta hhezB o fascicoli; e l'uso consacrò i capitoli dell'ultimo hhezB per essere più usualmente recitati nelle preghiere canoniche dopo l'el-fat-ha.

Per fare la preghiera è necessario colloccarsi in un luogo puro; e nel caso che non sianvi stuore o tappeti, si stende sulla terra il proprio hhaïk, il cappotto o il turbante, per collocarvisi sopra.

Quando molti Musulmani pregano insieme l'uno di loro si pone avanti agli altri, fa le funzioni d'Imano, e dirige la preghiera affinchè i movimenti dei rikat siano simultaneamente eseguiti da tutti gl'individui dell'assemblea: se i fedeli sono moltissimi, si dispongono dietro l'Imano sopra più file come nella moschea.

Sonovi ancora alcune preghiere addizionali, che tutti i Musulmani recitano ogni giorno: tali sono l'el-fegèr che deve precedere il sebàh il mattino; l'eschefàa, e l'uter che devono seguire l'ascha della sera. Del resto il musulmano può dire quante preghiere egli vuole sia di giorno, sia di notte, fuorchè nell'istante del levarsi del sole fino al mezzogiorno, e dall'istante dell'aàssar fino al mogarèB, ne' quali tempi non devesi pregare. Queste orazioni sono meritorie al fedele credente, ma esse non lo dispensano dalle cinque preghiere canoniche.

Nelle preghiere giornaliere il fegèr è composto di due rikat, il douhour di quattro, l'aàssar, dello stesso numero, il mogarèB di tre, l'ascha di quattro, l'eschefàa, e l'ùter di tre.

Il fàt-ha, ed il capitolo, o versetti del Coran, che lo seguono ne' due primi rikat si recitano ad alta voce nel sebàh il mogaréB l'ascha l'eschefàa, nell'ùter, e douhour, l'aàssar, e le preghiere addizionali volontarie; si dice ogni cosa sotto voce. Rispetto alle invocazioni Allàhou ak bar Sèmeo! allahu ecc. e la salutazione Assalàmon Aaleikom pronunciansi sempre ad alta voce.

Per ultimo sonovi delle preghiere particolari per gli ammalati, pei morti, pei viaggiatori, per la pioggia, per le ecclissi del sole, e della luna, pei combattimenti, per le trenta notti del Ramadan, per le pasque, per la Kàaba; poi delle preghiere soddisfattorie, e di surrerogazione.

CAPITOLO X.

Elemosina. - -Digiuno. - Pellegrinaggio. - Calendario. - Mese sacro. - Pasque - Impiegati delle moschee. - Feste. - Superstizioni.

Dopo la credenza di un solo Dio onnipossente, e la fede nella missione del suo profeta, come altresì l'obbligazione delle preghiere canoniche, duopo è osservare il precetto della elemosina: questa legge è assolutamente obbligatoria per ogni musulmano in istato di osservarla.

Questo precetto comprende la decima elemosiniera, l'elemosina pasquale, il sacrificio pasquale, le donazioni o pie fondazioni, e le elemosine eventuali di carità.

La decima elemosiniera corrisponde al due e mezzo per cento all'anno di quanto si possiede, tranne i montoni e le capre che non contribuiscono che in ragione dell'uno per cento. Deve distribuirsi quest'elemosina ai poveri; ma si fa generosamente e senza troppo minuto calcolo, poichè ogni cuore buono alle disgrazie del povero contribuisce in una più alta porzione che quella fissata dalla legge. Per conto mio ebbi costantemente l'abitudine di nudrire un certo numero di sventurati o di stropiati, oltre le accidentali elemosine ch'io facevo, e credo di aver soddisfatto al mio debito.

Chiamasi elemosina pasquale l'obbligazione imposta ad ogni ricco musulmano di dare ai poveri il primo giorno del mese schovàl, che è la piccola pasqua; (l'Eìd seguìr) una mezza misura di frumento, o di farina, o un'intera misura d'orzo, o di dattili, prima del sole. I padri di famiglia e le persone che hanno servitori, devono dare per ogni individuo della famiglia quanto per se medesimi. È in loro arbitrio il dare l'elemosina in natura, o in danaro.

Il sacrificio pasquale è quello d'un montone, di un bue, o d'un cammello, che s'uccide il primo giorno della gran Pasqua (l'Eìd quibir) che ricorre il 10 del mese Dulhàja. Questa misura è applicabile ad ogni musulmano agiato padre di famiglia, o capo di casa. Dopo aver ucciso l'animale colle proprie mani tra il levar del sole ed il mezzogiorno, ne mangia una parte arrostita, e dà ai poveri il rimanente, che dev'essere più di un terzo della bestia. La pelle della vittima è riservata per gli usi personali del padrone oppure deve darsi ai poveri. Si fa lo stesso sacrificio in alcune importanti circostanze, come per guarire da una malattia, quando viene intrapreso un lungo viaggio, e simili cose.

Le donazioni o pie fondazioni, consistono nell'inalzare monumenti di pubblica utilità, come a dire nello stabilimento d'una moschea, d'una fontana, d'un ospizio, d'un ospitale, d'una scuola, ec. Quando un musulmano fa una fondazione o pia donazione, egli e la sua posterità perdono per sempre la proprietà dello stabile, ma per altro può riservarsi certi godimenti per sè, e suoi successori. Una delle mie prime cure, quando abbandonai il paese de' Cristiani, fu di meritare la grazia di Dio con una pia fondazione, e feci fare un deposito d'acqua potabile ad uso della moschea di Tanger che non ne aveva.

Gli ordinarj atti di carità, o le accidentali elemosine che sono consigliate nelle altre religioni, sono quasi obbligatorie per i Musulmani. Egli non può mettersi a tavola senza invitare quelli che gli stanno ai fianchi, qualunque siasi lo stato loro, e la loro credenza; egli non rimanderà giammai senza qualche soccorso il miserabile che glielo chiede, s'egli ha mezzo di consolarlo. L'ospitalità verso ogni uomo che si presenta, qualunque sia il suo culto, è una conseguenza di questo principio.

Il digiuno nel mese di Ramadàn è il quarto precetto divino. Consiste nel non mangiare nè bere, nè fumare, nè respirare l'odore degli aromati, nè quello di un frutto, ed a osservare una perfetta continenza dal momento del feger, crepuscolo avanti il levar del sole fino al tramontare ne' ventinove o trenta giorni del mese di Ramadan.

Questo digiuno obbliga tutti gli uomini e le donne, ad eccezione degli ammalati, dei viandanti, delle femmine incinte, o nello stato d'impurità legale, delle nutrici, dei minatori, dei vecchi deboli, delle persone alla cui sanità l'astinenza potrebbe pregiudicare, dei pazzi, ecc. E se si rompe il digiuno per inavvertenza o per distrazione, per causa di malattia, di viaggio, o per altra legittima causa corre l'obbligo di soddisfare a questo debito digiunando tanti giorni in altro tempo a sua scelta: ma se la trasgressione del digiuno di un solo giorno fu volontaria, e senza legittima causa, devesi per espiare questo delitto digiunare settantun giorni.

Dal tramontare del sole fino all'ora della preghiera

del mattino, si può mangiare, bevere, fumare e divertirsi quanto si vuole durante la notte; ma le persone di regolata coscienza impiegano il tempo a recitare preghiere in casa o nella moschea, a leggere il Corano, a fare altre opere di carità, ad unirsi in una fraterna ed aggradevole società, ma sempre circospetta. In questo tempo cessano le nimicizie, si riuniscono le famiglie, i poveri sono più che in altri tempi soccorsi con abbondanti elemosine.

Le moschee sono aperte ed illuminate tutta la notte in tempo del ramadàn, e la folla entra e sorte continuamente; le botteghe sono aperte, e frequentate dai due sessi; sono pure aperti i caffè, ma frequentati soltanto dagli uomini. Vi si conserva però sempre quel carattere di gravità che si distingue il musulmano.

Non bevendo nè mangiando in tutto il giorno, s'aspetta con impazienza l'ora del mogareB, ossia del cader del sole; al primo segnale dell'el-mùdden, o gridatore pubblico posto in cima alla torre, tutte le persone si pongono in moto, ed all'istante si mangia una specie di pappa di farina, condita col mele e collo zuccaro, o qualche altro manicaretto assai nutriente: si fa in seguito la preghiera, e poco dopo si pranza. Molti mangiano durante la notte tre o quattro volte, io non prendevo che il tè, e la mattina prima dell'aurora una tazza di pappa, o un poco di concoussou.

Il digiuno del Ramadan è appena sentito dal ricco, perchè egli passa la giornata dormendo, e la notte si compensa largamente delle privazioni del giorno; di modo che egli non fa che cambiare l'epoca de' suoi giornalieri godimenti: ma esso è bene una grave penitenza pel poco agiato che deve guadagnarsi il vitto col travaglio del giorno, e perciò non può eludere il rigore del precetto cambiando il suo tenore di vivere. Questo digiuno del Ramadan viene osservato con tanta precisione, che un musulmano che lo rompesse volontariamente senza leggittima causa, e sopra tutto in presenza di testimonj, sarebbe come infedele giudicato meritevole della pena di morte.

I mesi arabi essendo lunari, ed ogni mese incominciando all'istante che scuopresi ad occhio nudo la nuova luna i musulmani sono estremamente attenti ad osservare il cielo; ed hanno in ciò un tatto finissimo ed una vista estremamente penetrante, di modo che più volte m'indicavano il luogo in cui vedevano la nuova luna, ch'io non vedevo altrimenti, e che col soccorso d'un cannocchiale scoprivo in seguito in quel punto preciso del cielo ch'essi mi avevano indicato. La dichiarazione di due testimonj, che attestano innanzi al kadi aver veduta la luna, basta per far proclamare incominciato il mese; e quando le nubi impediscono di vederla, il compimento di trenta giorni del mese precedente dà luogo al nuovo mese. Onde agevolare queste osservazioni, io calcolava da prima i giorni in cui le nuove lune potrebbero vedersi, e dava loro questa specie d'almanacco: l'esattezza de' miei pronostici mi avevano conciliata tutta la loro confidenza, e vi si conformavano senza scrupolo per incominciare il Ramadàn e finirlo; di modo che il Sultano ordinò che questa cerimonia non avesse luogo che dietro la mia indicazione.

Il cominciamento del Ramadàn viene annunciato a Fez con molti colpi di fucile tirati da un'altura vicina, e col lugubre suono delle trombette che i pubblici stridatori fanno udire dall'alto di tutte le torri delle moschee; l'istante del fine dello stesso mese, o il cominciamento della pasqua, viene pure annunciato con colpi di fucile tirati dai tetti delle case: infelici coloro che amano la tranquillità, e sopra tutto infelici gl'infermi! essi sono storditi dal numero delle armi da fuoco, e dal grido dell'universale tripudio. Malgrado il carattere augusto che la religione imprime al mese di Ramadàn molti mori del basso popolo, diventano quasi frenetici . Gli uni si riscaldano il capo colle frequenti preghiere, e colla lettura continua del Corano; altri con quella dei libri ascetici, o sacri; altri finalmente colla debolezza del loro stomaco, e colla tristezza che ne è un'inseparabile conseguenza; e tutti sono scossi dall'orribile e funebre suono delle trombe, che dall'alto delle torri si fa udire in diverse ore del giorno e della notte: ciò che cagiona molte contese tra la plebaglia.

Nella notte del 27 avvi continuamente in ogni moschea un ministro, che senza libro recita il Corano ad alta voce, ed il popolo sta in piedi ad ascoltarlo. La recita è interpolata da preghiere; e la persona che recita viene successivamente rilevata da un'altra, talchè allo spuntare del giorno si viene ad aver recitato tutto il Corano. In quella notte sono illuminate le strade ed i terrazzi; immensa è la folla, e le donne vanno in truppa per visitare qua e là le moschee, nelle quali un'infinita quantità di fanciulli d'ogni età, di femmine, di santi imbecilli, buoni e cattivi, fanno uno spaventoso mormorio; che però non impedisce la lettura del Corano, nè le preghiere. Tutte le notti del Ramadàn avanti l'aurora vi sono degli uomini delle moschee, che scorrono le strade con enormi bastoni battendo a replicati colpi le porte delle case, affinchè gli abitanti si alzino per mangiare avanti l'ora della preghiera del mattino.

Il pellegrinaggio della Mecca è il quinto precetto divino. Ogni musulmano deve almeno una volta in sua vita fare personalmente questo santo viaggio, o darne la commissione ad un pellegrino, che soddisferà per lui, ed in suo nome a questo sacro dovere, nel caso che egli abbia legittimi motivi che lo impediscano di farlo.

L'oggetto di tale viaggio è quello di visitare la Kaàba, o la casa di Dio alla Mecca; le colline Sàffa e Mèrova che sono nella stessa città, ed il monte Aarafat, che trovasi a piccola distanza dalla santa città. L'epoca di queste cerimonie alla Mecca ricorre tutti gli anni nel mese Dulhàja. Molti pellegrini approfittano della circostanza per andare anche a Medina per visitarvi il sepolcro del Profeta; ma questo è un atto di divozione nè ordinato, nè consigliato dalla legge. Ritorneremo altrove su questo argomento.

L'anno arabo essendo composto di dodici mesi lunari, trovasi undici giorni più corto dell'anno solare; e per conseguenza il Ramadan e le pasque fanno il giro dell'anno solare in trentuno o trentadue anni. Ecco i nomi dei mesi arabi

Moharràm.
Safàr.
Ràbioul-aoval.
Ràbiou-zéni.
Diàd.
Ioumeldà (ossia Ioumà).
Arjàb.
Schabàn.
Ramadàn.
Schoval.
Doulkàada.
Doulkàja.

I giorni della settimana chiamansi così

Nahhàr el Khàd - primo giorno - Domenica.

Nahhàr el Zenin - secondo giorno - Lunedì.

Nahhàr el Telàta - terzo giorno - Martedì.

Nahhàr l'Arbàa - quarto giorno - Mercoledì.

Nahhàr el Hhamiz - quinto giorno - Giovedì.

Nahhàr Ioumouà - sesto giorno - Venerdì.

Nahhàr es Sebts - settimo giorno - Sabbato.

I giorni di digiuno e le feste dell'anno sono:

Il 1, 2, 3, e dieci di Moharram per il digiuno

Non avvi nulla nel mese Safàr.

Il 12 di Rabioul-aoual si solennizza il Moulotid, o la nascita del Profetta: le feste durano fino al 19: ed a quest'epoca soglionsi per l'ordinario circoncidere i fanciulli.

Non v'è niente di particolare ne' tre susseguenti mesi.

Il primo giovedì, ed il 27, del mese d'ArjaB sono consacrati al digiuno.

Nel mese di Schaban si passa pregando la notte del 15, e si digiuna il susseguente giorno.

Si digiuna tutto il mese di Ramadan; si fa preghiera la notte, e particolarmente nelle notti del 27, e del 30 che devono interamente consumarsi pregando.

La Pasqua chiamata l'Eïd Seguìr, piccola Pasqua, è fissata nel primo giorno del mese di Schovàl. In questo giorno deve farsi l'elemosina pasquale, di cui si è parlato, e si fa la preghiera pasquale all'Emsàlla di cui si parlerà tra poco. Dopo questo giorno di Pasqua si digiuna sei giorni scelti ad arbitrio nel corso dello stesso mese.

Niente vi è nel mese Doulkaada.

In quello di Doulhaja i musulmani che non vanno alla Mecca digiunano i primi nove giorni. Il 10 del mese incomincia la Pasqua chiamata l'Eïd Kibir o grande Pasqua, la quale dura tre giorni; nel primo de' quali si va subito la mattina a fare la preghiera pasquale all'Emsalla, poi tornato in propria casa si sacrifica un montone in memoria del sacrificio d'Abramo. Egli è a tale epoca che si fanno le ceremonie del pellegrinaggio della Mecca.

Questi mesi sono composti di 29 e di 30 giorni, e l'anno non è che di trecento cinquanta quattro, e per conseguenza il termine dei dodici mesi si compie undici o dodici giorni prima di quello dei dodici mesi solari. Risulta che il Ramadan, e le Pasque fanno il giro dell'anno solare, e non s'incontrano press'a poco nello stesso punto che dopo trentuno o trentadue anni solari, che compongono un anno lunare di più. Il presente anno che è il 1218 dell'Egira ha cominciato il 23 aprile del 1803 di Cristo.

Il digiuno del Ramadan è il solo di divino precetto, gli altri non sono che una pratica religiosa imitativa. I musulmani contano nell'anno quattro mesi sacri, duranti i quali non si deve senz'esserne forzati, fare la guerra, nè privar di vita un uomo. Sono questi i mesi di moharram, d'arjal, di doulkaada e di doulhaja.

Per la preghiera Pasquale avvi fuori delle città un luogo a ciò destinato, che chiamasi El-Emsàlla, ove s'aduna tutto il popolo la mattina del primo giorno d'ogni Pasqua avanti il levare del sole.

Magnifica fu la festa dell'ultima Pasqua celebrata in Fez dal Sultano. I paschà, i keih, ed i grandi cheik alla testa di numerosi corpi di cavalleria vennero da tutte le provincie dell'impero per felicitare il Sultano, e rimasero quasi tutti accampati fuori della città.

Nel luogo dell'Esmàlla, si formò un recinto di forma quadrata, chiuso da tre lati da una tela di cinque a sei braccia d'altezza, e press'a poco della lunghezza di circa sessanta piedi da ogni banda, con entro una tribuna pel predicatore. Noi eravamo entro questo recinto in numero di circa seicento, e tutta la popolazione di Fez, ed i fedeli venuti dalle provincie, stavano al di fuori in numero di altre dugento cinquanta mille persone. All'arrivo del Sultano incominciò la preghiera. Ogni volta che per i movimenti dei rikat l'Imano ed il Mudden pronunciavano l'esclamazione Allàhou aki bàr! Dio grandissimo! questa veniva ripetuta da un infinito numero di Mudden sparsi tra la folla fino ad una grandissima distanza: ed a tale grido si vedevano prostrarsi innanzi alla divinità dugento cinquanta mille persone aventi il sovrano alla loro testa, e per tempio l'intera natura: spettacolo veramente augusto, che non si può vedere senz'essere profondamente commossi.

Dopo la preghiera un fakih del Sultano salì sulla tribuna, pronunciò un sermone, e la ceremonia si chiuse con una breve preghiera. Il Sultano sortito dal recinto, montò a cavallo, e tutta la sua corte ne imitò l'esempio. Dopo aver fatto un passeggio, durante il quale i diversi corpi delle provincie gli vennero incontro per salutarlo, si ritirò; ed in allora, ebbero cominciamento le corse dei cavalli, le scaramuccie, i colpi di fucile, le grida d'allegrezza ohe si prolungarono tre giorni nella città e nei contorni.

Rimarcabile è la maniera con cui ogni corpo salutava il Sultano. Dopo essersi disposti in linea si presentavano al Sultano coi loro lunghi fucili che si tenevano perpendicolarmente davanti colla mano destra, ed appoggiati sul pomo della sella piegavano il corpo avanti, facendo una riverenza, e gridando ad alta voce tutte le volte Allàh jebark òmor sidina! Dio benedica la vita del nostro Signore! Poi ritiravansi per lasciar luogo agli altri. Il capo di ogni truppa veniva alquanto innanzi, ed avvicinandosi al Sultano, lo salutava in particolare, facevasi conoscere, e faceva segno alla sua gente di avanzarsi e di ritirarsi.

A poca distanza dal Sultano erano molte compagnie della sua guardia a cavallo con un infinito numero di stendardi, ed una banda di tamburri rauchi, e di cornamuse assai discordi. Marciavano presso al Sultano i grandi ufficiali ed alcuni servitori a piedi; e due di questi stavano sempre ai fianchi del suo cavallo con un fazzoletto di seta in mano per scacciare le mosche.

Tra i musulmani non trovansi preti propriamente detti. Quelli che assistono alle moschee non hanno altra marca distintiva che possa farli conoscere, nè alcun carattere che gli dispensi dalle obbligazioni di cittadino: hanno mogli, travagliano e pagano le imposte; in una parola, l'ordine sacerdotale, che negli altri culti forma nello stato una classe separata, non esiste presso i musulmani. Qui gli uomini sono in ogni casa eguali in faccia al Creatore; i templi non hanno luoghi riservati, nè posti privilegiati. La virtù o il vizio sono i soli mezzi che avvicinano o allontanano l'uomo dalla Divinità.

Gl'impiegati delle moschee sono prima gl'Imani, che dirigono la preghiera, predicano i venerdì, e fanno talvolta la lettura de' libri sacri; ed in appresso i Mudden, che chiamano il popolo dall'alto delle torri, e che ajutano gl'Imani nella direzione delle preghiere. Quest'impieghi non imprimono verun carattere in coloro che gli esercitano; e quindi tosto che hanno terminate le loro funzioni, si occupano in altri affari come semplici cittadini. Durante l'assenza d'un Imano dalla moschea, il Mudden, o un altro individuo, o qualunque del popolo si pone alla testa dell'assemblea; dirige la preghiera, e fa le funzioni di vero Imano.

I musulmani non hanno altre feste in tutto l'anno che quelle della Pasqua, e della nascita del Profeta.

Il venerdì il musulmano lavora come gli altri giorni della settimana, incominciando la mattina fino ad un'ora avanti mezzogiorno, in cui abbandona la sua officina, o altre sue occupazioni per andar a fare le sue abluzioni, e la sua preghiera alla moschea: torna in appresso al suo travaglio.

Dal fin qui detto si vede che l'islam, o la religione di Maometto, è austera. La parola islamismo vuol dire abbandono di se medesimo a Dio; e su questa primaria base è fondato questo culto.

La credenza nella missione di Noè, di Abramo, di Mosè, di Gesù Cristo e di altri antichi Profeti, è un articolo indispensabile per l'introduzione all'islamismo; di modo che un giudeo non può essere ammesso al corpo dei fedeli, senza che preventivamente abbia dato prove della sua credenza nella missione di Gesù Cristo, riconosciuto come lo spirito di Dio (Rouh Oullàk) e figliuolo di una Vergine: lo che viene attestato dal Corano.

I musulmani sono d'opinione che gli evangelj che trovansi tra le mani de' cristiani siano stati viziati, o corrotti da interpolazioni. Essi negano la morte di Gesù Cristo, che secondo il Corano salì vivo al cielo senza subire il supplizio della croce; non ammettono il domma della Trinità, nè per conseguenza l'unione ipostatica della seconda persona in Gesù Cristo, e nell'eucaristia.

Sgraziatamente sonosi pure introdotte nell'islamismo varie superstizioni, che il musulmano filosofo detesta. Le ceremonie esteriori del culto hanno soverchiato in modo le dottrine fondamentali della religione, che quando un musulmano faccia ogni giorno il numero della prostrazioni o dei rihat prescritti dalla legge, non si guarda alla sua morale, e sarà tenuto buon musulmano; sarà pure inalzato alla dignità di santo, se eccede il numero delle preghiere e dei digiuni legali, quantunque la sua condotta sia quella d'un uomo perverso, com'io ebbi occasione di vederne alcuni esempi.

La venerazione pei sepolcri dei santi ha un utile effetto quando le loro cappelle sono l'asilo dell'innocenza contro gli attentati del despotismo.

La venerazione in cui sono tenuti gl'imbecilli, protegge la sgraziata loro esistenza; ma l'asilo delle cappelle conserva altresì un ragguardevole numero di delinquenti, dai quali dovrebbesi liberare la società, ed il rispetto verso gl'imbecilli è cagione di mille attentati contro la pubblica morale. I safi, o talismani, le reliquie, le corone, i recitatori di preghiere per gl'infermi, per le cose smarrite, ec. ec., sono altrettante pie frodi che macchiano il puro deismo di Maometto. Altronde qual è il culto in terra che non sia stato alterato dalla cupidigia dei ciarlatani, o dalla sciocca timidità del popolo? Fortunatamente che nell'impero di Marocco non si vedono quelle greggie monastiche, ossia quei Dervis, che scontransi in tutta la Turchia.

CAPITOLO XI.

Sceriffi di Muley Edris. - Affare del pendolo. - Ingresso del Sultano in Fez. - Messo del Sultano. - Interrogatorio del capo degli astrologi - Sua ipocrisia, mala fede. - Intrighi dell'astrologo. - Trionfo d'Ali Bey. - Compera d'una Negra. - Almanacco. - Partenza del Sultano. - Eclissi.

Abbiamo veduto, che le ceneri di Muley Edris fondatore di quest'impero sono venerate nel suo santuario a Fez, ove dimorano i suoi discendenti, risguardati ancora come la più illustre famiglia del paese sotto il nome di Sceriffi di Muley Edris. Il capo di questa famiglia prende il titolo di el Emkaddem, o l'antico. L'Emkaddem attuale è un vecchio venerabile chiamato Hadj Edris, il quale ha l'amministrazione dei fondi posti ne' coffani accanto al sepolcro del santo, come pure dell'elemosine in granaglie, in bestiami, ed in altri effetti che gli abitanti gli danno a titolo di tributo: egli stesso le ripartisce tra i scheriffi della tribù, la maggior parte de' quali si mantiene con questi fondi, comecchè ve n'abbiano di ricchissimi di beni stabili, o pel commercio che fanno, siccome l'Emkaddem. È tanto grande la venerazione degli abitanti per Muley Edris, che in tutti gli accidenti della vita, e ancora per uno spontaneo movimento, in luogo d'invocare l'onnipossente, invocano Muley Edris.

Venendo da Mequinez a Fez mi passò innanzi un ufficiale del Sultano apportatore d'un ordine sovrano ad Hadj Edris perchè mi preparasse un alloggio e mi assistesse e servisse di tutto quanto potessi desiderare. In conseguenza, al mio arrivo fui alloggiato in casa sua; e perchè la vecchiaja appena gli permette di far pochi passi, non che di occuparsi di tutti i doveri dell'ospitalità, fu il suo maggior figliuolo Hadj Edris Rami che s'incaricò esclusivamente di tutti i miei affari, e perciò qualunque volta io parlerò di Hadj Edris si deve intendere del figliuolo, ammeno che io non indichi espressamente il padre. Amendue colle rispettive loro famiglie abitano nella medesima casa. Hadj Edris Ràmi è della mia età; il suo stimabile carattere, la dirittura de' suoi principj, e la sua fedeltà, che giammai non si smentirono, lo resero il mio migliore amico: possa egli essere tanto felice quanto io lo desidero, e possano i suoi anni essere numerosi come le sue virtù!

All'indomani del mio arrivo a Fez ricevetti la visita dei principali scheriffi della tribù d'Edris e di molti altri della città. Infinite erano le domande che mi si facevano in tali visite, e le osservazioni; come pure le ricerche che facevansi ai miei domestici, al quale oggetto valevansi di tutti i mezzi immaginabili. In somma facevansi loro subire formali interrogatorj sul conto mio; ma ne ottennero così soddisfacenti risposte, che avanti che terminasse il secondo giorno, mi avevano baciata cento volte la barba, ed i più ragguardevoli mi avevano pregato a riceverli nel numero de' miei amici.

Gli Edris affezionatisi al loro ospite pensavano ad avermi lungo tempo in loro casa, e nulla trascuravano di tutto ciò che poteva, rendermene aggradevole il soggiorno; ma siccome io non mi trovo mai bene che in casa mia, si viddero forzati dalle mie istanze a cercarmene una, e pochi giorni dopo io mi trovavo già stabilito in quella ch'essi mi procurarono delle migliori di Fez. Il susseguente giorno mi recai a visitare il principe Muley Abdsulem che allora era a Fez. Quest'augusto e rispettabile cieco mi fece infinite carezze, e mi pregò caldamente d'andare a trovarlo ogni giorno; glielo promisi, e poche volte mancai alla promessa.

Il despotismo che da tanto tempo pesa su quest'impero avvezzò gli abitanti a nascondere il loro danaro, e ad adottare nei loro abiti, e nella economia famigliare tutto ciò che può allontanare da loro il sospetto dell'agiatezza; talchè niuno ardisce, per ricco ch'egli sia, fare la menoma spesa di lusso; ad eccezione dei più prossimi parenti del Sultano e dei scheriffi Edris, che godono di una maggiore libertà, e perciò non temono di vestirsi, e di alloggiare più decentemente. I miei amici mi vedevano tenere un sistema diverso dal loro, perchè accostumato al lusso orientale, non sapevo ridurmi alla miseria ed agli usi di Fez. Essi tremavano per me, e non mi dissimulavano i loro timori; ma lontano dal pensare a correggermi, non declinai un sol punto dalle mie abitudini; onde i miei amici terminarono coll'avvezzarvisi, e qualcuno ancora incominciò ad imitarmi. La mia società s'accresceva ogni giorno. I Fachik, i Sceriffi, i dotti, non isdegnavano di farne parte.

Non molto dopo arrivato a Fez fui condotto nella moschea di Muley Edris, ed in una bella casa dipendente dalla moschea, ove vidi un singolare assortimento d'oriuoli a pendolo: seppi che il Sultano aveva ordinato che mi fosse preparata quell'abitazione, affinchè potessi andarvi per leggere o per studiare, e che i dottori dovevano venire ogni giorno a parlare con me intorno a cose scientifiche.

Per verun conto non mi conveniva assoggettarmi a qualsiasi vincolo; e quindi dopo avere testificata tutta la mia riconoscenza verso il sovrano, ed accettata l'abitazione, ordinai ai miei domestici di portarvi tappeti, cuscini, un soffà, e tutto quanto poteva abbisognarmi; dissi che sarei talvolta venuto a leggere, dichiarando in pari tempo francamente che ciò non avrebbe luogo ogni giorno. Questo linguaggio li sorprese.

Ne' primi dieci giorni non v'andai che due volte; vi capitarono molti dottori, ma la nostra conversazione si restrinse ai complimenti vicendevoli, ed a discorsi di niuna importanza.

Intanto si ebbe notizia che il Sultano arriverebbe ben tosto a Fez. Allora Hadj Edris mi fece sapere che due giorni dopo il mio arrivo suo padre aveva ricevuto un ordine dal Sultano, col quale gli partecipava, ch'io dovevo prendermi cura dell'andamento regolare dei pendoli di Muley Eddris, e dare l'ora per le preghiere canoniche; che a tale oggetto mi assegnava una pensione sulle entrate della moschea. Io saltai come un capretto udendo un così fatto ordine. Declamai contro l'ingiusta pretesa di voler impormi obbligazioni quando io non chiedevo nulla a chicchessia; mi alterai, giurando, che mai più non avrei posto piede in quella sala, e che se non mi si dava soddisfazione non andrei in avvenire nella moschea di Muley Edris. Il buono Hadj Edris arrabbiava; m'assicurò, ch'esso, e quanti erano stati informati di questo affare, erano del mio sentimento; che per tale motivo non me ne avevano parlato fino al presente, vedendosi costretti a farlo in vista dell'imminente arrivo del Sultano, onde non esporsi a qualche dispiacere per non aver eseguito il suo ordine. Tutti gli amici non trascuravano intanto di calmarmi, pregandomi d'addolcire il mio rifiuto coll'andare qualche volta presso Muley Edris; ma io non ascoltavo alcuno, e montato a cavallo partii come un lampo per recarmi da Muley Abdsulem.

Feci conoscere a questo rispettabile amico le mie

acerbe lagnanze, osservandogli, che io veniva degradato in faccia al pubblico, e che ciò doveva farmi credere ben poco avanti nella considerazione del Sultano, a cui lo pregavo di far conoscere i miei sentimenti su quest'argomento. Muley Abdsulem mi diede ogni possibile soddisfazione, assicurandomi che doveva esservi qualche mal inteso, e che s'egli ne avesse avuta prima conoscenza, non avrebbe permesso di parlarmene; che dovevo risguardarmi come suo figlio, e come figlio del Sultano Muley Solimano, e che per conseguenza sarebbe sempre in mio arbitrio di fare quanto mi piacesse, senza che alcuno debba o possa immischiarsene; e ch'egli non soffrirebbe mai che mi si desse il menomo dispiacere.

Per tre giorni questo buon principe si compiacque di darmi ragione intorno a quest'affare; ond'io conobbi evidentemente la favorevole opinione ch'egli, ed il Sultano avevano di me, e che l'ordine relativo ai pendoli era opera di qualche ministro ambizioso, che aveva interesse di degradarmi agli occhi di tutto il mondo: ma invece d'abbassarmi, quest'affare accrebbe il mio credito. I miei amici celebrarono questo trionfo come una cosa non mai più udita; il mio nome si rese famoso; ed io spiegai tutto l'apparato che si conveniva al mio grado. Non vi fu alcuna persona di qualche distinzione a Fez, che non si desse premura di visitarmi, onde la mia casa rifluiva di gente mattina e sera.

Non si tardò molto ad annunciare il vicino arrivo del Sultano. Io sortii accompagnato da alcuni domestici e molti dei più principali della città tutti a cavallo per incontrarlo ad una ragguardevole distanza. Tosto che lo vedemmo, gli facemmo i nostri saluti, ai quali egli corrispose affettuosamente; indi frammischiandoci ai signori del suo seguito l'accompagnammo al palazzo. Il Sultano si ritirò nei suoi appartamenti, ed il suo seguito, e la truppa ritiraronsi col popolo.

L'accompagnamento del Sultano era composto di un distaccamento di quindici in venti uomini a cavallo: cento passi a dietro veniva il Sultano sopra un mulo, ed al suo fianco, montato pure sopra un mulo, stava l'ufficiale che gli portava l'ombrello, che a Marocco è il segno distintivo del sovrano, non potendo farne uso ch'egli, i suoi figli e fratelli; onore straordinario, ch'io per altro ottenni. Otto o dieci domestici venivano dopo il Sultano, indi il ministro

Salaoui con un domestico a piedi, e chiudevano la marcia alcuni impiegati, ed un migliajo di soldati bianchi e neri a cavallo, con lunghi fucili in mano formanti una specie di linea di battaglia, che aveva nel suo centro dieci in dodici uomini di fondo, e le di cui estremità andavano a terminare in un solo uomo; ma tutti senz'ordine di gradi, di file, o di distanze. Nel centro della linea eranvi in sul davanti tredici grandi stendardi, ciascuno d'un solo colore, altri rossi, altri verdi, bianchi, gialli. Questo gruppo di bandiere serve alla truppa di punto di vista per marciare, per fermarsi, o per cambiare di fronte; movimenti tutti che si fauno in disordine e tumultuariamente. Quattro o sei tamburri rauchi con alcune cattive cornamuse stanno dietro agli stendardi; ma non si fecero sentire che dopo che il Sultano entrò in palazzo.

Lo stesso giorno mi recai da Muley Abdsulem, e gli chiesi consiglio sul modo che doveva tenere per essere presentato al Sultano. Egli mi rispose che se ne sarebbe occupato all'istante egli medesimo.

Muley Abdsulem andò subito a corte, ed al suo ritorno mi disse che il Sultano mi riceverebbe tutti i venerdì, e che non mi chiedeva ogni giorno per non incomodarmi, nè privarmi della mia libertà; che mi manderebbe uno de' suoi letterali per accompagnarmi ogni volta al palazzo.

Effettivamente all'indomani, mentre trovavansi presso di me circa venti persone, mi venne annunziato un messo del Sultano: lo feci entrare: egli era il primo astrologo di corte. Presentandosi mi diede segni del più profondo rispetto, e ponendomi sulle mani da parte del Sultano un magnifico hhaïk, mi disse, ch'egli, Sidi Ginnàm, avea l'onore d'essere stato scelto da sua maestà per accompagnarmi al palazzo ogni venerdì.

Dopo avere baciato il hhaïk, ed avermelo posto sul capo secondo l'uso, lo lasciai sul mio cuscino, e ricevetti i complimenti di tutte le persone presenti.

Fu portato il tè, e dopo una mezz'ora di conversazione Sidi Ginnàm mi chiese se poteva dirmi una parola in segreto. Lo condussi in un'altra sala con uno scrivano o segretario, che aveva seco condotto. Appena fummo seduti incominciò a farmi varie interrogazioni. Mi chiese nome, età, patria, ed il luogo de' miei studj; indi mi pregò di sciogliergli alcuni problemi astronomici, come la longitudine, e la declinazione del sole dello stesso giorno, la periodica sua rivoluzione, la precessione dell'equinozio, la longitudine e latitudine della mia patria, quella del mio alloggio a Londra, ec. Tale trattenimento non poteva in verun modo piacermi, perchè ne ignorava lo scopo. Risposi con qualche durezza, ma non per questo lo scrivano lasciò di scrivere. V'aggiunsi le predizioni di due vicini ecclissi del sole e della luna, de' quali lo scrivano ne marcò la data e le ore. Dopo ciò io li congedai, regalandoli amendue.

Nel tempo di questa specie di interrogatorio Hadj Edris non cessava d'andare e venire d'una in altra sala con molta inquietudine; e quando ebbi congedato il mio astrologo, entrando nella sala ov'era la società, viddi tutti i miei amici divisi in gruppi di quattro persone che pregavano per me. Io rimasi commosso dall'interesse che quest'onesta gente prendeva al mio ben essere, il buon Hadj Edris si tranquillizzò, e tutti mi replicarono i più affettuosi complimenti.

Il susseguente giorno si andò per divertimento ad un giardino di campagna di Hadj Edris: ma essendo tutti uomini, e non permettendoci la gravità musulmana d'intrattenerci in qualche giuoco, o colla musica, o colla danza; privi dell'uso de' liquori proibiti dalla legge; ed altronde non essendo la società composta di persone abbastanza dotte per potersi universalmente occupare delle scienze; e per ultimo mancanti affatto di notizie politiche, che sogliono somministrare largo trattenimento alle società europee, come potevasi ingannare piacevolmente il tempo?... A mangiare cinque o sei volte al giorno come tanti Eliogabali, a bere tè, e a far preghiere comuni, a giuocare come fanciulli, ed a nominare fra di noi i pascià, i califfi, i kaid, i quali avessero impero sul rimamente della società ad ogni pranzo, ad ogni tè, ad ogni passeggiata? Con tali e somiglianti altri divagamenti restammo colà tre giorni, e due notti. L'ultimo giorno era giovedì, e siccome avevo annunciato al Sultano che in tal giorno vedrebbesi la nuova luna, se le nubi non la nascondevano, il Sultano fece proclamare il cominciamento del Ramadan pel venerdì, quantunque la luna rimanesse coperta.

In esecuzione degli ordini sovrani questo venerdì Sidi Ginnàn venne a prendermi per condurmi al palazzo. Montai a cavallo ed andai seco alla moschea del palazzo, ove, dopo avermi fatto sedere, mi lasciò solo. Un'ora dopo il Sultano venne nella tribuna, ove suole recitare la preghiera del venerdì senz'essere veduto dal popolo. Dopo la preghiera il Sultano partì subito, senza che io potessi vederlo.

Appena era egli sortito, Sidi Ginnàn aprì la porta della tribuna, mi chiamò, e mi fece entrare; e dopo aver chiusa la porta, facendomi molte carezze, mi mostrò il luogo in cui il Sultano aveva costume di fare la preghiera, e m'assicurò; che gli aveva detto ogni cosa; che lo aveva informato della mia predizione delle ecclissi; che il Sultano avevagli risposto, essere soddisfatto, e che ordinava di condurmi ogni venerdì alla moschea, come aveva fatto al presente.

Conobbi all'istante la mala fede di quest'uomo, e gli risposi seccamente: benissimo; ma mi riesce affatto indifferente il venir qui per la mia preghiera, o l'andar altrove. Il mio uomo imbarrazzato da tale risposta cercava di nascondere il suo turbamento. Mi condusse sulla strada per una porta interna del palazzo, dicendomi misteriosamente: usciamo da questa banda, perchè siccome tutto il mondo sa che il Sultano vi ha chiamato, si saprà più presto ch'egli vi accorda simili distinzioni. Sdegnato degl'intrighi di costui, gli replicai bruscamente: per me è lo stesso l'uscire per di qui, o per tutt'altra porta, e montando subito a cavallo, partii con i miei domestici. Montò egli pure sul suo mulo, sforzandosi di raggiungermi, e venne a porsi al mio fianco, chiedendomi se volevo far una passeggiata, al che mi rifiutai di mal garbo. Mi accompagnò fino a casa, e si ritirò.

Gli amici che m'aspettavano vedendomi entrare come un furibondo, s'affrettarono di chiedermi se avevo veduto il Sultano. Gli contai l'accaduto, e rimasero storditi.

Io conoscevo l'ascendente della mia influenza, come i motivi della condotta di Sidi Ginnàn, ed il bisogno di fare un colpo assai clamoroso. Presi dunque all'istante la penna e stesi una memoria divisa in dodici articoli. Dimostrai geometricamente l'ingiustizia di questa specie di disprezzo, poichè io non avea chiesto nulla, ed il sultano all'opposto non avevami chiamato che per avvilirmi. Terminavo l'ultimo articolo con queste parole: in conseguenza io parto alla volta d'Algeri. Feci sapere agli amici la presa risoluzione, e pregai Hadj Edris di disporre subito quanto mi abbisognava pel viaggio, incaricando un individuo della società di portare la mia lettera a Muley Abdsulem.

Dopo aver udito quanto scriveva, e vedendo la mia ferma risoluzione, i miei amici tremarono, e fecero ogni possibile per ritenermi; ma io non ascoltai ragione finchè non mi fu fatto osservare che senza estremo bisogno un musulmano non deve viaggiare in tempo del Ramadan. A ciò mi acquietai, e promisi di passare il Ramadan a Fez, dichiarando in pari tempo che partirei subito dopo.

All'indomani Muley Abdsulem mi fece dire d'andare da lui. Mi arresi al suo invito. Io ho parlato, mi disse, del vostro affare al Sultano, che gravemente si adirò contro Ginnàn, dicendo che quest'uomo aveva un cuore malvaggio: quando il Sultano ordinò di condurvi tutti i venerdì al palazzo non era già per lasciarvi nella moschea, ma per introdurvi innanzi a lui a fine di vedervi e di parlarvi: che in tal modo doveva fare ogni venerdì; ma che poteva ben essere che Ginnàn, e qualcun altro avessero motivo di pentirsi..... Terminò dicendomi, che ordinava allora l'arresto di quel miserabile. Allora presi a parlare a favore di Ginnàn, dichiarando ch'io ero soddisfatto, e che desideravo che questo disgustoso affare non avesse ulteriori conseguenze.

I miei amici festeggiarono il mio trionfo; ma non molto dopo ritornò uno di loro assai triste, e mi disse: voi per soverchia bontà commetteste un errore - quale? Avete comunicati al traditore Ginnàn i giorni e le ore in cui succederanno gli eclissi del sole e della luna; or bene, non solo nulla disse di esserne a voi debitore, ma presentò il vostro lavoro, e se ne fece egli stesso autore - pover'uomo, soggiunsi io all'istante, mi fa pietà - ma perchè? - perchè nè egli, nè altra persona conosce a Fez i giorni o le ore delle vicine eclissi. - Come non gli avete voi detta ogni cosa? e non scrisse egli quanto voi gli diceste? - No; io conobbi subito il carattere dell'uomo, e rispetto alle cose astronomiche non gli dissi la verità, e per conseguenza egli ha spacciati dei falsi pronostici..... A questo tratto tutti slanciaronsi verso di me, baciandomi le mani, abbracciandomi, alzandomi sulle loro braccia, e proclamandomi uomo superiore agli altri.

Il seguente venerdì, fingendo d'ignorare tutto il passato, Sidi Ginnàn venne a prendermi per condurmi al palazzo. Lo feci aspettare più di mezz'ora, e montando a cavallo, gli ordinai di seguirmi. Entrammo in una cappella interna del palazzo, ove venne subito un figlio del Sultano per tenermi compagnia, e pochi momenti dopo il Sultano mi fece chiamare.

Andai, come porta l'etichetta, accompagnato da due ufficiali, i quali mi presentarono al Sultano, che trovavasi nella casetta di legno della terza corte. Appena entrato, mi fece sedere sopra un piccolo matterasso. Fra molt'altre cose mi domandò se piacevami il paese: se non mi era contrario il clima; quindi chiamandomi suo figlio e dandomi altri soprannomi onorevoli, mi replicò più volte, ch'egli era mio padre. Volli baciargli la mano, ma egli la rivolse e mi presentò da baciare la palma, come ai suoi figliuoli. Essendosi poi spogliato del suo bournous, me lo pose in dosso colle sue mani, ripetendo ch'io potevo presentarmi a lui qualunque volta lo desiderassi, ch'egli non mi fissava verun tempo, perchè non voleva altrimenti incomodarmi. La conferenza durava da molto tempo quando il Sultano mi domandò l'ora: guardai l'orologio, e gli dissi essere quella della preghiera. Allora ripetendomi di nuovo più volte che io ero suo figlio, si levò, ed andammo alla moschea.

Questo intrattenimento ebbe luogo alla presenza di molte persone, e tra le altre del Muftì, o principale Imano del Sultano. Questi prendendomi per la mano mi condusse nella moschea, ch'era affollata di gente, e non mi lasciò finchè non fui seduto. Quest'ingresso nella moschea con il mio seguito, e col bournous del Sultano sovrapposto al mio, chiamò sopra di me gli sguardi di tutta l'assemblea. Io sortj di mezzo alla folla; tutti quelli che trovavansi sul mio passaggio baciavanmi la spalla, o il lembo della veste. Chiesi dov'era Ginnàn; ed il Muftì facendo un atto di disprezzo; non prendetevi cura, mi rispose, di questo miserabile, cui non devesi più verun riguardo. Feci qualche elemosina alla porta della moschea, secondo la mia costumanza, e ben tosto s'invocarono le bendizioni del cielo sopra Muley Solimano, e sopra di me. Montai in seguito a cavallo e mi restituj a casa compiutamente soddisfatto, poichè pubblico era stato il soddisfacimento della ricevuta ingiuria, e così luminoso. Fui complimentato da tutti; e più non si parlò di andare ad Algeri, e proseguj a frequentare il Sultano, ed a fare con lui la preghiera alla tribuna.

Un musulmano senza donne vedesi generalmente di mal occhio. I piaceri dello spirito occupandomi più di quelli del corpo, non avevo fin ora pensato a quest'articolo. I miei amici me ne parlarono tanto, che mi convenne cedere alle loro istanze. Sapendo che non volevo ammogliarmi che dopo aver fatto il pellegrinaggio alla casa di Dio, mi fu posta innanzi una schiava negra, ch'io presi senza pure osservarla. Le donne d'Hadj Edris avendola riconosciuta nella qualità di mia concubina, la bagnarono, la purificarono, la profumarono diversi giorni; gli fu poi fatto il suo corredo; indi mi fu condotta a casa. A fronte degli abbigliamenti, de' profumi, delle purificazioni, rimase isolata in un'abitazione separata dalla mia, ove venne ben servita e trattata; ma io, non saprei dirne il motivo, non ho mai potuto vincere la mia ripugnanza per una negra colle labbra grosse, e col naso schiacciato: quindi la sventurata donna dovette trovarsi ben delusa della sua aspettazione.

Aveva promesso a Muley Abdsulem un calendario per i quattro ultimi mesi dell'anno arabo. Io lo feci indicando la corrispondenza delle date coll'anno solare, i giorni della settimana, del mese e della luna, la longitudine e la declinazione del sole nell'istante del mezzogiorno a Fez, l'ora del levarsi e del tramontare nello stesso luogo; l'ora del passaggio della luna al meridiano, la differenza dal tempo medio al tempo vero, le fasi ed altri punti lunari, ed i più notabili fenomeni degli altri pianeti. Siccome in quest'epoca dovevano precisamente accadere le due eclissi del sole e della luna, l'almanacco diventò più interessante assai pel pronostico di questi fenomeni da me descritti interamente: aggiungendovi inoltre le figure ch'essi dovevano presentare. Posi in fine due altri disegni che mostravano, uno la grandezza dei pianeti relativamente al sole, l'altro il sistema solare con tutte le nuove scoperte. Quando presentai quest'almanacco, Muley Abdsulem ed il Sultano ne furono in modo sorpresi, che predissero la rovina di tutti coloro che senza saper nulla godevano in Fez opinione d'uomini scienziati.

Pubblicatisi una volta i giorni e le circostanze delle eclissi, n'ebbe ben tosto notizia tutta la città, e perchè ognuno voleva aggiungere alla notizia qualche cosa del proprio, si spacciarono mille stranezze: e gli astrologhi predissero sventure, che dovevano essere precedute da tre giorni di dense tenebre. Non è credibile la pena ch'io mi diedi per distruggere l'impressione di tali ridicole predizioni. Terminato il Ramadan, si celebrò la pasqua nel modo solito, e poco dopo il Sultano partì alla volta di Marocco, invitandomi a seguirlo: glielo promisi.

L'eclissi della luna fu dal popolo poco notata perchè il cielo era ingombro di nubi, e pioveva: ma gran Dio! quale spaventoso rumore non produsse l'eclissi del sole! Il cielo era affatto sgombro, ed era verso mezzogiorno: il sole oscurossi quasi interamente, non rimanendo che un mezzo dito del disco scoperto. Gli abitanti correvano per le strade gridando come insensati; i tetti ed i terrazzi erano coperti di gente; ed il mio alloggio era così affollato, ch'era impossibile il fare un passo dalla porta fino al luogo più elevato.

L'eclissi finì poco dopo mezzogiorno. Stavo pranzando quando mi fu annunciato che il figlio del kadi desiderava di parlarmi. Fattolo introdurre, mi disse, colle lagrime agli occhi, e nel più compassionevol modo, che la malattia di suo padre attratto non permettendogli di sortire, veniva egli in sua vece a pregarmi, poichè il buon Dio li aveva felicemente salvati dell'eclissi , d'avere la bontà di dirgli, se doveva ancora temersi di altra cosa. Io lo rassicurai, come seppi meglio, e lo rimandai soddisfatto.

Non è possibile persuadere a queste genti, che si possono saper fare osservazioni e calcoli astronomici, senza essere astrologo, e senza saper dire a ciascuno la sua buona o cattiva sorte. Io mi abbattevo ogni giorno in taluno che mi pregava a dargli indizio delle cose perdute o rubate, altri a chiedermi la guarigione di un'ostinata malattia; i più discreti si limitavano a domandarmi una preghiera per loro, o un Flous, o piccola moneta per conservarla come un prezioso regalo. Tanta è la costoro ignoranza che io mi affaticavo, ma con poco profitto, di guarirli da sì grande semplicità.

Determinai il giorno della partenza alla volta di Marocco. I miei amici tentarono ogni mezzo per ritenermi; le preghiere, le offerte, le cabale, gl'intrighi, tutto fu posto in opera: ma finalmente io diedi i miei ordini, presi commiato da tutti, e mi disposi a mantenere la promessa fatta al Sultano.

CAPITOLO XII.

Partenza da Fez. - Viaggio a Rabat. - Descrizione di questa città.

Avendo preventivamente fatta sortire dalla città la mia caravana, io sortii di casa mia a piedi il 27 febbrajo del 1804 accompagnato dai principali scheriffi, e dal venerabile Emkaddem Hadj Edris; ed attraversando la folla che mi circondava, ed ingombrava i cortili della mia casa, e le vicine strade, ci recammo alla moschea di Muley Edris, ove dopo aver recitata la preghiera, ci separammo colle lagrime agli occhi. Io montai a cavallo innanzi alla porta della moschea, e seguito soltanto da due domestici, da due soldati a cavallo, e da un domestico a piedi; attraversai lentamente la folla ch'era immensa, lo che diede tempo ai scheriffi, e ad altri considerabili personaggi di montare a cavallo, e di seguirmi. Questo corteggio mi seguì fino ad una lega fuori della città, ove assolutamente volli che si ritirassero; lo che si eseguì dopo nuovi reiterati abbracciamenti, e nuove lagrime.

Ero sortito da Fez ad un'ora dopo mezzo giorno,

prendendo la strada di Mequinez, che poscia abbandonai per volgermi all'O. avvicinandomi alle montagne. Alle tre arrivai presso alcuni laghi d'acque salse da cui ricavasi molta quantità di sale. Moltissime truppe di anitre selvatiche coprivano quelle acque e specialmente presso le rive. Lasciate a sinistra queste lagune, e tenendo sempre la medesima direzione, alle quattro e mezzo la carovana si fermò sopra un'altura, presso ad un vasto dovar chiamato Elmogàfra.

Immense pianure si stendono al S. fino alle falde di lontanissime montagne. Il suolo è composto di una terra vegetale mista a molta arena. La vegetazione era così poco avanzata, che le erbe non avevano più di due pollici d'altezza, e non erano ancora in fiore. Il tempo fu affatto coperto, e cadde pure interrottamente alcun poco di pioggia. Alle cinque e mezzo il termometro segnava 12° di Reaumur, e l'igrometro 64°. Il vento soffiava debolmente dall'O. Nell'atto che s'alzavano le tende venne a visitarmi un santo imbecille.

Martedì 28.

Alle due della mattina pioveva fortemente.

La carovana si mosse alle nove e mezzo. La direzione cambiava frequentemente per causa delle montagne; ma generalmente era verso l'O. N. O. A mezzogiorno, o poco dopo, giungemmo alla riva destra dell'Emkes, fiume abbastanza considerabile, che va al N. Dall'altro lato le montagne serrano di più la strada; e seguendo generalmente la medesima direzione, feci alto alle cinque ed un quarto.

Il paese da noi attraversato era coperto da basse montagne, ma verso le tre e mezzo vidi alla diritta una montagna alta e scoscesa non molto lontana dalla strada. Dietro le notizie avute, ha molta estensione ed è abitata dall'indomabile tribù di Beni-Omàr, che vive quasi affatto indipendente dal sovrano.

Fin presso al fiume il suolo è composto d'una terra vegetale assai arenosa, ed allora sterile a cagione della siccità. Dall'altro lato del fiume incomincia ad essere frammischiata d'argilla, e perciò la vegetazione era assai più rigogliosa, le seminazioni bellissime, le praterie ancor migliori, e sparse di fiori, specialmente di radiati e di vaghissimi ranuncoli.

È cosa notabile che molte di queste montagne sono unicamente formate di ciottoli rotolati, o di frantumi calcarei ammonticchiati, i più grossi de' quali hanno quattro a sei pollici di diametro; il tutto coperto da uno strato sottile di terra vegetale argillosa.

Il tempo fu costantemente nebbioso, fuorchè un istante prima del tramontare del sole. L'orizzonte si ricoperse ben tosto, ed alle otto ore pioveva. Alle sei ed un quarto il termometro segnava 13°, l'igrometro 98°, ed il barometro 27 pollici 4 linee, ciò che nello stato presente dell'atmosfera prova che la mia altezza sul livello del mare era minore di quella di Fez, benchè mi trovassi in mezzo alle montagne.

La mattina mentre passavamo in vicinanza d'un dovar due de' principali abitanti vennero in mezzo alla strada per chiedermi una preghiera. Fermai il cavallo, ed alzando le mani, soddisfeci al loro desiderio. Queste oneste persone non sapendo in qual modo attestarmi la loro riconoscenza mi baciarono più volte il ginocchio. La stessa domanda mi fu poi fatta in quasi tutti gli altri dovar posti lungo il cammino.

Mercoledì 29.

La mattina pioveva dirottamente, ed il mio seguito non potè mettersi in cammino che alle dieci ore e tre quarti; volgendoci all'O. N. O., e montando sempre fino alle undici e mezzo in cui si cominciò a discendere. Alle tre e mezzo sboccando da una strettissima valle mi trovai all'improvviso fuori delle montagne, ed in faccia ad un vasto paese. Sceso sul piano continuai a camminare all'O. fino alle cinque e mezzo. Avendo allora attravarsato la strada di Tanger, ed il fiume Ordom, feci alzar le tende sulla riva sinistra.

Il terreno di quella contrada è tutto argilloso, le montagne presentano roccie di marmo grossolano, e di argilla indurita a strati obbliqui, e qua e là confusi. La linea viene rotta da una roccia arenosa tenera coperta da un denso strato d'argilla, e talvolta della densità di quindici piedi.

Appena sceso sul piano trovai la vegetazione assai avanzata, alta l'erba dei prati, ed una straordinaria abbondanza di fiori variati che formavano un colpo d'occhio più bello e magnifico di quello, che presentino i giardini d'Europa.

I miei amici di Fez conoscevano il mio trasporto per le collezioni di storia naturale, e conoscevano le attrattive di questa inclinazione per un'anima che si commova alle bellezze della natura; ma i selvaggi che mi circondavano, non potevano comprenderlo. Io mi sarei guardato di fare sugli occhi loro ciò ch'essi biasimano negli Europei che viaggiano nelle loro contrade, vale a dire di dimostrare quell'amore per le ricerche, quell'ardore per le scienze, quello zelo d'ingrandirne la sfera colla scoperta di nuove cose. Questo gusto, questa liberalità d'opinione sono idee affatto straniere alla infingarda gravità che deve caratterizzare un Principe della mia santa religione, e questa maniera di pensare può riuscire dannosa, e quasi sempre avere tristi conseguenze. Mi vidi perciò costretto di sagrificare le mie inclinazioni ai pregudizj delle persone che mi accompagnavano, e di rinunciare alla ricchezza d'un terreno, che mi offriva migliaja di piante: ne raccolsi soltanto una dozzina con una cert'aria di non curanza, che non poteva urtare la loro estrema ignoranza, e stupidità .

Noi eravamo passati vicino a molti dovar, i più grandi de' quali composti d'una ventina di tende, e gli altri soltanto di cinque o sei. Nere sono le tende e collocate in giro: alcuni dovar avevano intorno una siepe di roveti, ed ogni tenda è lontana dieci in dodici passi dalle altre. I popoli che le abitano sono pastori, e le loro sostanze sono formate delle mandre che allevano; in tempo d'estate le conducono sulle alte montagne poste a levante, e nell'inverno le custodiscono nei luoghi piani. Quando s'avvicina la notte le fanno entrare nel circondario del dovar. Vidi più animali bovini assai, che pecore, e capre.

Lungo la strada molti Arabi sortivano dalle loro tende, e venivano sulla strada per complimentarmi, invitandomi alla loro casa: altri mi domandavano preghiere, pochissimi l'elemosina.

Feci disporre il mio accampamento presso certe cappelle ove sono i sepolcri dei santi, a cui non omisi di mandare le mie elemosine. In questo luogo si tiene mercato tutti i giovedì.

Tutto il giorno aveva continuato il cattivo tempo, ed alle nove della sera pioveva dirottamente. Spirò un vento d'O. fino al levar del sole; ed allora incominciò un vento d'E. Alle sei della sera il termometro segnava 16° 2, e l'igrometro 36°.

Giovedì primo Marzo.

La mattina venne molta gente al mercato, che chiamasi di Sidi Càssem dal nome della cappella principale. Quando io partivo eranvi di già molte tende, e calcolando dalla folla che vedevo venire, supposi che tra venditori e compratori non vi dovevano essere meno di tre mille persone; lo che mi fu pure confermato dagli abitanti, che interpellai su quest'oggetto. In ogni mercato vendonsi grani, frutti e simili prodotti del paese; inoltre cavalli, buoi, pecore, capre, ed altri oggetti. Vi vengono gli abitanti di dovar assai lontani sì per vendere che per comprare. Vidi molte donne col volto scoperto, che sembraronmi non meno povere che brutte.

Il capo del santuario di Sidi Càssem mi mandò la mattina un regalo di aranci.

Partimmo alle otto e mezzo del mattino camminando all'O. S. O. con leggiero deviamento. Ad un'ora dopo mezzogiorno si attraversò il fiume Bet, che qui va dal S. S. O. al N. N. E. Mi fu detto che metteva foce in alcuni grandi laghi una giornata al di là di Rabat; e non si univa al fiume Sebou, come suppone la carta del sig. Chenier. Questo fiume che volge molte acque ha un corso assai rapido. Alle due meno un quarto fummo costretti di accampare per mettersi al coperto da una orribile burrasca.

Il paese attraversato questo giorno era quella vasta pianura veduta jeri, e terminata al S. dalle montagne costeggiate nel precedente giorno. Vidi pure un'altra linea di piccole montagne al N., ma a grandissima distanza: verso l'O. la pianura sembrava perdersi coll'orizzonte, ma verso il mezzodì essendo giunto ai confini dell'O., conobbi che questo vasto piano non era che una grande spianata assai elevata sul resto del continente all'O., di dove lo sguardo spaziava come da un elevato balcone. Si scese tra alcune montagne, le cui sommità sono più basse della spianata. M'accorsi allora, che le montagne che avevamo prima alla sinistra stendevansi considerabilmente al S. Al di là del fiume la strada segue l'andamento delle valli tra le colline. Il terreno dell'alto piano è argilloso, in appresso calcareo, arenoso, ed alquanto misto d'argilla.

Sull'eminenza la vegetazione era ritardata, ma la trovai molto avanzata nella parte più bassa, benchè tutte le piante fossero delle più piccole specie: i pruni ne formavano la principal quantità. Dopo Fez non aveva veduto un solo albero, ad eccezione di alcuni ne' giardini prossimi all'eremitaggio di Sidi Càssem. Sonovi pochissime terre lavorate; e non vi si vedono che uccelli di passaggio.

Trovammo varj dovar assai poveri, ed uno assai esteso. Era formato di molti cerchi di tende, ed ogni cerchio, attorniato da una siepe di pruni, conteneva, secondo che appariva, tutti i rami di una famiglia primitiva. Mi si disse che uno di questi cerchi apparteneva al ministro Salaoui. Ogni cerchio contiene da quattro fino a dodici tende fatte di peli di cammello, nere, e succide come gli abitanti, che sono di color di cuojo o giallastro, piccoli, e smilzi; hanno l'aria di diffidenza, e di malinconia propria dell'uomo che sente, che dovrebbe essere libero, e che non pertanto soggiace al più terribile despotismo.

Le donne di questo dovar sono alquanto più gaie, e mi parvero di un carattere dolce e sincero. Sono piccolissime; hanno il volto largo, gli occhi penetranti, ed il portamento meno disaggradevole che le donne delle città: quelle che io vidi sono più bruciate dal sole che gli uomini. Il loro abito consiste in un giubbone, e in un turbante, o fazzoletto sul capo. L'abito degli uomini ristringesi ad un semplice hhaïk; ed i più ricchi hanno pure un pajo di pantaloni, ed una camicia di lana, che portano sotto al hhaïk; ma d'ordinario hanno la testa nuda. Questi abitanti dei dovar, e delle montagne sono dai mori conosciuti ed indicati col nome el AàraB (Arabi) o el Bedàoui (Bedovini). La maggior parte sta sempre a cavallo col fucile, e colla spada, e rarissime volte accade che sortano dalla tenda senza sciabla, senza pugnale. Molti mi vennero all'incontro per baciarmi il ginocchio o la mano, quando loro la presentavo; altri mi chiesero la preghiera, ma nissuno l'elemosina. Io non vidi alcun individuo di colore che fosse grosso e grande, niuno che avesse l'apparenza, non dirò d'uomo ricco, ma di qualche agiatezza. Colui che possiede danaro lo tiene nascosto, e non lascia di vestirsi da misero.

Questa giornata fu orribile, e fummo costretti a fare alto prima d'arrivare al luogo fissato atteso il gagliardo vento, accompagnato da diretta pioggia. Vicino al nostro campo era un dovar, e quella gente mi disse, che a non molta distanza trovavansi dei lioni. Alle sei della sera il termometro segnava 12°

6, e l'igrometro 100°.

Alle undici ore continuava la pioggia; ed io trovai entro la mia tenda varj preziosi insetti ch'erano venuti per porsi al sicuro dal cattivo tempo. Un bellissimo rospo saltò sul mio scrittojo, guardandomi tranquillamente lungo tempo; io mi alzai per aprire la porta, ed il povero animale, quasi avesse indovinato quello ch'egli voleva, sortì all'istante.

Venerdì 2.

Il tempo era così cattivo, che i miei domestici mi pregarono di restare; ma perchè avevo somma premura d'arrivare a Marocco, ordinai che si levassero le tende.

Alle dieci ore e mezzo del mattino ci rimettemmo in cammino, prendendo la direzione al S. O., ma bentosto si smarrì la strada facendo mille viziosi ravvolgimenti entro un grandissimo bosco di vincaja: e vi saremmo probabilmente rimasti più lungo tempo, se non avevamo la fortuna d'incontrare una guida. Il vento e la pioggia continui non mi permettevano d'osservare la bussola, ed il cielo era così coperto che non potevo assolutamente rimarcare un solo rombo; i ravvolgimenti del bosco m'avevano fatto perdere le traccie della stima, di maniera che più non conoscevo la posizione del campo, che stabilj in vicinanza d'un dovar alle quattro meno un quarto della sera.

Il paese è composto di vaste pianure rotte di tratto in tratto da qualche burroncello, o da strette valli assai profonde.

Il suolo è d'una terra vegetale leggerissima, con molta arena.

Un'ora dopo mezzodì si attraversò prima un bosco di grandi lentischi, poi un secondo di lecci, e di mandorli silvestri, che fiorivano allora.

Non vidi altro essere animato fuorchè una farfalla assai bella; stava sopra una foglia, e si lasciò prendere dolcemente.

Il tempo si rischiarò avanti sera, ed alle sei il termometro segnò 10° 8, l'igrometro 98°.

Trovavansi a poca distanza alcuni luoghi paludosi, ove una sorprendente quantità di rannocchi cantarono tutta la notte vigorosamente come in tempo d'estate.

Sabbato 3.

Il giorno incominciò coll'acqua, e malgrado l'incostanza del tempo la mia carovana si pose in marcia alle dieci ore e mezzo, dirigendosi all'O. S. O., e continuando nella stessa direzione con poca varietà al S. O.

Alle due e tre quarti s'attraversò il piccolo fiume Filisto che in questo luogo scorre all'O. N. O.; ed alle quattr'ore feci spiegare le tende presso ad un dovar. Il paese è formato di basse colline divise da larghe valli. Un'arena rossiccia mista con poca terra vegetale forma la natura del suolo.

La vegetazione era proporzionata alla stagione. Alle undici dal mattino entrammo in un bosco di altissimi lecci, di grandi ginestre, e di mandorli fioriti in tanta quantità, che dietro ciò che la terra produce spontaneamente, non v'ha dubbio che se gli uomini del cantone coltivassero questo ramo d'agricoltura e di commercio, potrebbero provvedere i mercati d'una parte dell'Europa; ed intanto malgrado queste ricchezze della natura quegli abitanti vanno quasi nudi, o coperti di cenci, e dormono sulla nuda terra, o al più sopra una stuoja..!! Giuriamo odio al governo dispotico, i di cui sudditi sono tanto infelici a dispetto di tutti i doni di cui gli fu la natura liberale! Questo bosco che si prolunga rasente la strada ci parve opportuno per alzarvi le nostre tende.

Il tempo fu costantemente coperto; di tratto in tratto pioveva, ed il freddo rendevasi sensibile. Queste circostanze davano al paese l'apparenza d'un cantone settentrionale della Francia o dell'Inghilterra, e non sembrava altrimenti una contrada dell'arsa Affrica.

Alle sei della sera il termometro marcava 10° e l'igrometro 100°, il cielo cominciava a rischiararsi, ed il vento veniva dall'O. Sarebbe stata per me cosa assai interessante l'osservazione dell'eclissi d'un satellite, ma le nubi non me lo permisero.

Domenica 4.

Queste malaugurate pioggie continuarono tutta la notte e tutto il giorno; ma non pertanto ci posimo in viaggio alle sette e mezzo del mattino verso l'O. S. O. declinando alquanto al S. O. Alle due e mezzo dopo mezzogiorno giugnemmo presso le mura di

Salè. Per timore di ritardare il viaggio non volli visitare questa città; e varcato il fiume, entrammo in Rabat posta sulla riva sinistra.

Il paese presenta da ogni lato vastissime pianure, il di cui terreno è fermato da un'arena rossa. Partito di buon ora, incontrai un bosco di lecci più piccoli, ma più fitti che quelli veduti il giorno avanti, fra i quali eranvi molti mandorli fioriti. Le altre piante non erano così abbondanti, e le poche che vi si vedevano incominciavano appena a dar segno di vegetazione. Finalmente a mezzogiorno si sortì dal bosco, ed allora scopersi una vasta estensione di coste sul grand'Oceano Atlantico.

Il tempo era malvagio: la pioggia cadeva a torrenti, e soffiava un gagliardo e continuo vento d'ouest.

La città di Salè mi parve piccola, e tutt'altro che ricca, mentre a Rabat si vedono alcuni edificj molto ben fatti. Convenne impiegare un'ora e mezzo nel passaggio del fiume dovendosi scaricare, e caricare i muli. Venticinque in trenta battelli posti sulle due rive servono al passaggio: ogni battello vien condotto da un solo uomo provveduto di due remi. Il fiume può avere trenta tese di larghezza nel luogo in cui si attraversa, e non è che circa 300 tese lontano dal lido. - Al di sopra del passaggio eranvi ancorati tre bastimenti musulmani, ed uno francese di 80 tonnellate .

Appena sbarcato a Rabat feci avvisare il governatore del mio arrivo, il quale mi spedì subito uno de' suoi ufficiali per complimentarmi, e dichiararmi esente dal pagamento del pedaggio sul fiume. Fui alloggiato nell'alcassaba, ossia castello, che ha una sorprendente veduta tanto dalla banda di terra, che da quella di mare. Poco dopo arrivato in castello, il governatore mi spedì un'abbondante provvisione di viveri e di foraggi, ciò che praticò ogni giorno finchè rimasi a Rabat.

I giorni 5 e 6 furono assai belli, onde potei determinare con osservazioni sicure la posizione di Rabat, a 34° 57′ 30″ di latitudine settentrionale, e di 8° 57′ 30″ di longitudine meridionale dall'osservatorio di Parigi.

Rimanemmo cinque giorni a Rabat per ristorarci dai patimenti sofferti per le pioggie, e per le cattive strade tanto dagli uomini che dalle bestie. Rendevasi pure necessaria la riparazione delle tende assai danneggiate, e nuove provvigioni per il viaggio.

Il ricevere e render visite occupò tutto il tempo della mia dimora. Il visir Sidi Mohamed Salaavi che trovavasi a Rabat mi regalò un bellissimo hhaïk.

Non altro rimane dell'antico splendore marittimo di questa città che qualche capitano appena capace di dirigere un grosso bastimento, di modo che volendo il sultano armare alcuni bastimenti di mediocre portata difficilmente troverebbe abbastanza uomini per governarli. Ma se le cognizioni marittime degli abitanti di Rabat devono servire a ripristinare l'antica pirateria , è desiderabile che non cerchino di occuparsene.

Le case sono meglio fabbricate, e promettono più che quelle delle altre città, ma l'interna loro distribuzione è la medesima. Siccome Rabat è posta sopra un'eminenza, le strade sono ripide, ed incomode. Sembra che questa città fosse destinata a diventare la capitale del celebre Jacob El-Mansour ; e perciò le sue mura guarnite di torri girano un immenso spazio occupato da bellissimi orti ben irrigati. Colà trovasi il sepolcro del Sultano Sidi Mohamed, padre dell'attuale Sultano, situato in una piccola cappella ch'io visitai. Il castello in cui io alloggiavo è posto all'estremità occidentale della città: nel punto più elevato avevo un grande terrazzo, di dove lo sguardo vagava sull'immensità dei mari, sul fiume, e sulla campagna. Sgraziatamente così ridente e deliziosa vista viene qua e là rattristata da considerabili rovine che attestano il decadimento della passata prosperità.

Nella parte orientale della città vedonsi tuttavia gli avanzi dell'antica Schella, che il sig. Schénier suppone essere stata la metropoli delle colonie cartaginesi. Leone chiama questa città Salla, e Marol Mansalla. Io avvertirò a questo proposito che in vicinanza di tutte le città verso il quarto di S. E. trovasi un luogo chiamato El Emsàlla destinato alla preghiera pasquale. Lascio che tutti interpretino a modo loro questa coincidenza di nomi. Schella è circondata da altissime mura, ed ai cristiani non è permesso d'entrarvi. Contiene i sepolcri di alcuni santi; e quello d'El-Mansour è collocato in una bella moschea assai frequentata. Quand'io vi andai per visitarla, era così piena di donne, che durai fatica per entrarvi. La scesa della montagna a piè della quale trovasi il tempio pare veramente fatta per incanto; vi si vedono molt'acque limpidissime precipitarsi fra roccie coperte di rose silvestri, d'aranci, di cedri, e di altre piante aromatiche, che spargono una deliziosa fragranza.

Sortendo dalla moschea feci un giro entro i giardini d'agrumi situati sulle sponde del fiume, che sono proprio un'immagine del giardino terrestre. Gli alberi quasi sempre coperti di fiori e di frutti, spargono un grato odore, ed offrono i più dilicati frutti: gli aranci sono così fitti, così grandi, così fronzuti che vi si passeggia sotto di bel mezzogiorno senza vedere il sole, e senza sentirne gli effetti. La sorpresa che mi fecero i giardini di Rabat fu tale, che io li preposi per ogni rispetto ai più famosi d'Europa, a fronte dell'estremo lusso dei cristiani. Dal centro di questi giardini io m'imbarcai per fare un giro sul fiume entro una scialuppa a molti remi diretta da un capitano di galea, che me l'aveva fatta preparare.

La città è difesa verso il mare da alcune batterie, ed il suo porto non è esposto che ai gagliardi venti d'ouest. A Rabat trovansi acqua e viveri assai buoni, e pane eccellente. Gli abitanti hanno molta vivacità, ed intelligenza, e sono più speculatori che nelle altre città. Vi si trovano alcune famiglie che si dicono discendere dagli Spagnuoli rifuggiati in Affrica a

diverse epoche, per sottrarsi alle persecuzioni de'
loro compatriotti. Sidi Matte Moreno appartenente
ad una di queste famiglie è il solo letterato
dell'impero che abbia alcune cognizioni
astronomiche, antichissime, gli è vero, ma non
pertanto fondate sopra buoni principj. Il suo
eccellente carattere, il suo spirito, me lo fecero
apprezzare assai: onde gli regalai un sestante, un
orizzonte, ed alcune tavole astronomiche, delle
quali gliene indicai l'uso.

CAPITOLO XIII.

Viaggio a Marocco.

Alle dieci ore del mattino di sabbato 10 marzo io sortj da Rabat per passare a Marocco. La strada era prima a S. S. O., poi a S. O. fino alle tre ore dopo mezzogiorno, in cui declinò più all'O. S. O. da che ebbimo attraversato il fiume Yatkem. Alle cinque della sera si fece alto presso ad un dovar. Qui la strada asseconda la spiaggia del mare, sparsa di scogli inaccessibili, e furiosamente battuta dalle onde quando ancora il tempo è tranquillo.

In questo paese composto di basse colline di roccia calcarea la vegetazione trovavasi molto avanzata, e tutto il littorale sparso di bellissimi fiori; onde vi raccolsi varie piante molto interessanti per arricchire il mio erbolajo.

Il suolo è formato di terra arenosa con poca argilla, e qualche parte d'ocri. La spiaggia vedesi tutta coperta di frammenti di conchiglie estremamente piccole, e delle quali malgrado le mie attente ricerche, non mi riuscì di trovarne una sola intiera.

Eranvi presso al mio campo due grandi rupi assai

notabili terminate in punte acute perpendicolari e formate di strati obbliqui ineguali, avvicendati di cristalli misti di quarzo, che formano altresì delle vene ramificate negli strati d'ardesia argillosa: e questa è la prima roccia d'un aspetto primitivo di tale specie, che io finora abbia trovato in Affrica.

Cadde un poco di pioggia: alle sei della sera il termometro segnava 15° e l'igrometro 100°. Il vento era ouest.

Domenica 11.

Si riprese il cammino alle otto della mattina nella direzione di O. S. O. Alle nove ed un quarto attraversammo da prima il fiume Sarrat, poi camminando a S. O. a dieci ore il fiume Busteka, e finalmente due altri ruscelli. Ad un'ora ed un quarto dopo mezzogiorno passai per Mansourìa; ed alle tre arrivò la mia carovana sulla sponda del fiume Infìfe ove fu d'uopo aspettare lungo tempo che la marea fosse abbastanza bassa per poterlo guadare; mezz'ora dopo averlo passato, si giunse a Fidàla, ove feci far alto.

Questo paese è ondeggiato a collinette e la strada

costeggia il mare. Il suolo è composto d'uno strato argilloso misto d'arena sopra roccia d'ardesia, e d'argilla dura.

La vegetazione prosiegue ad essere assai rigogliosa, onde potei arricchire la mia raccolta di molte magnifiche piante.

Il tempo fu coperto; e si dovettero soffrire forti burrasche con vento ed acqua. Alle otto e mezzo della sera la pioggia cadeva in abbondanza, ed il termometro nella mia tenda segnava 14°, l'igrometro 100°.

Mansouria, e Fidàla presentano amendue un quadrato formato da alte mura con torri: ognuno di questi quadrati può avere 65 tese di fronte da ogni lato. Nell'interno d'ogni quadrato v'è una moschea, ed alcune case assai popolate in ragione dello spazio. La moschea di Fidàla è molto bella. Gli abitanti sembraronmi poveri; tra i quali sono assai numerosi i Giudei.

Lunedì 12.

La dirotta pioggia della notte, e di parte del mattino non mi permise di mettermi in viaggio che ad un'ora dopo mezzogiorno. Presi la direzione al S. S. O., e poi declinando al S. O. si passò un fiume alle due e mezzo. Dopo aver attraversate, e fiancheggiate in parte alcune terre paludose, giunsi verso le sei ore a Darbeïda ove si passò un altro fiume poco considerabile.

Il paese conserva la medesima natura di quelli attraversati ne' precedenti giorni. Sono collinette che s'aggirano entro vaste pianure sparse qua e là di terreni pantanosi. La strada si scosta rare volte dal mare, la di cui costa è di così difficile abbordaggio, che non vi si trova che il porto di Darbeïda; e questo ancora molto angusto.

Il terreno d'ordinario è argilloso con qualche mescolanza di arena, e talvolta tutto arenoso. S'incontrano di quando in quando roccie calcaree, e qualche traccia d'argilla ardesia e l'arena del mare non è che una scomposizione più o meno fina di conchiglie.

La vegetazione non presentava veruna novità se non che parvemi alquanto meno variata, e le palme più numerose che tutte le altre specie d'alberi.

Il tempo fu abbastanza tranquillo dopo il mezzogiorno; ma in sul far della sera incominciò una dirotta pioggia, che continuò fino alle nove ore. Alle otto nella tenda il termometro segnava 14° 8′, e l'igrometro 98°.

Martedì 13.

La pioggia che continuò tutto il giorno non mi permise di viaggiare. Il nostro campo era fuori delle mura di Darbeïda presso la spiaggia del mare.

Malgrado il cattivo tempo potei fare qualche osservazione astronomica, e trovai la mia longitudine - 9° 50′ 0′′ O. dell'osservatorio di Parigi; la mia latitudine - 33° 37 40′′ N., e la mia declinazione magnetica - 20° 43′ 30′′ O.

Ad un'ora dopo il mezzogiorno il termometro segnava 17°, e l'igrometro 96°. Il vento era O. S. O., il cielo qua e là coperto di nuvole isolate, l'orizzonte molto carico, ed il mare assai grosso.

Darbeïda è un piccolo villaggio posto entro un vastissimo ricinto di mura, e povero assai, e piccolissimo il suo porto. Mi fu detto che i suoi abitanti appartengono alla provincia di Chaovia. Sul piccol fiume che gli scorre vicino sonovi alcuni mulini.

Il governo rinforzò la mia guardia di quattro soldati.

Mercoledì 14.

Partj alle sette ore del mattino dirigendomi al sud-ouest. Alle undici e tre quarti attraversammo un ruscello; ed a mezzogiorno avevamo alla destra un Capo o punta sul mare. Ad un'ora si entrò in una vasta foresta di lentischi assai fitti, ed alle due e mezzo si attraversarono molti pantani che occupavano più d'una mezza lega di terreno, nei quali i cavalli si sprofondavano talvolta fino al ventre. Finalmente alle cinque si alzarono le tende presso alle rovine d'una borgata detta Lela Rotma.

Il paese presenta grandi pianure chiuse in lontananza da piccole colline: ebbi sempre a qualche distanza in vista il mare.

Il terreno viene composto di roccia calcarea, coperta d'uno strato sottilissimo di terra vegetale argillo-arenosa fertilissima. La vegetazione offriva le più belle produzioni della natura.

Il tempo fu quasi sempre coperto, e verso sera pioveva dolcemente. Alle otto e mezzo il termometro marcava 13°, e l'igrometro 100°. Il vento d'ouest copriva il cielo di grosse nubi.

Eravamo passati in vicinanza di due dovar, uno de' quali innalzato sulle ruine di Sela Rotma.

Giovedì 15.

Alle sett'ore e mezzo della mattina si riprese il cammino nella direzione di S. O.; attraversando alle otto ed un quarto un piccolo fiume. Alle dieci si passò presso due dovar, e due poderi ove vedevansi pochi terreni coltivati. A poca distanza vedevansi pure le ruine d'un altro podere; e verso il mezzogiorno ci trovavamo vicini a tre cappelle o erèmitaggi, e ad alcuni orti con qualche casuccia. La hhenna, parzialmente coltivata in questo paese è una pianta colla quale le donne si tingono di rosso le mani e le palpebre. Alle due ore giugnemmo sulla riva destra del fiume Morbea sul quale serviva di porto una piccola barca capace soltanto d'un leggere carico; ma convenne accontentarsene per non esservi altro di meglio, e si dovettero impiegare cinque ore nel passare tutta la mia carovana. Giace sulla riva sinistra la città d'Azamor, presso alla quale feci alzare le tende verso le sette della sera.

Il paese che si attraversò avanti mezzogiorno offriva grandissime pianure, ma dopo era un misto di pianura e di colline. Ebbimo sempre il mare a mezza lega di distanza, ed il terreno della medesima natura dell'antecedente.

La prima traccia di vegetazione ch'io scopersi fu una densa macchia di lecci; in appresso d'ogni qualità di piante, e specialmente di palme. Tutto era in fiore. Osservai due spiche d'orzo già formate, ma in generale le seminagioni erano ancora piccole.

Il tempo coperto nel mattino, si rischiarò in appresso non rimanendo che alcune nuvole staccate. Alle otto ed un quarto della sera il termometro segnava entro la tenda 12° 8′, e l'igrometro 98°.

Venerdì 16.

Il tempo burrascoso, il cielo sempre coperto, una pioggia a reffoli mi forzarono a non levare il campo. Malgrado tali ostacoli potei fare alcune osservazioni astronomiche, che mi diedero la latitudine d'Azamor a 33° 18′ 46″ N. e la longitudine di 10° 24′

15´´, nella quale può essere corso l'errore tutt'al più d'un 10´´.

La principale moschea mi sembrò elegante, la città non affatto brutta. È cinta di mura, e di fossa; e vi si tiene un gran mercato ogni venerdì in una piazza destinata a tale uso. Intorno ad un eremitaggio fuori della città vedesi un bel sobborgo.

Il fiume può esser largo 150 piedi, ma assai profondo, e rapido a segno che le barche lo attraversano con qualche difficoltà, per essere strascinate dalla corrente, a rischio talvolta di perdersi. Questo pericolo fa dire agli abitanti che alcuni diavoli alloggiano nel fiume. In questo luogo la sponda sinistra è assai alta e tagliata a picco; mentre la destra è bassa e piana, e le maree sono sensibili anche molto al di sopra. Mi fu detto che questo fiume scende dalle montagne di Tedla, ossia dal grande Atlante. Le sue acque a cagione delle pioggie erano rosse e cariche di melma come quelle del Nilo in tempo dell'inondazione, onde non si può beverne senza averla prima lasciata deporre.

Facevasi altra volta un vivissimo commercio su questo fiume sempre coperto allora di bastimenti. Il mare non dev'essere a maggior distanza d'un quarto di lega, e ne udiva il muggito senza vederlo; ma il giorno innanzi l'aveva osservato tinto di rosso dalle acque del fiume a più di due leghe dalla spiaggia . Le rive della Morbea in questo luogo sono di una terra vegetale argillo-arenosa con pietre calcaree.

Alle otto ore del mattino il termometro segnava 15° 5´, il barometro 27 poll., 9 lin., e l'igrometro 98°. Il vento fu sempre S. O. ed a mezzodì il termometro salì a 15°.

Sabbato 17.

Si riprese la strada alle otto e tre quarti del mattino dirigendoci al S. S. O., e piegando alle dieci verso S. E. Alle quattr'ore dopo mezzogiorno feci spiegare le tende in vicinanza di un grande dovar.

Il paese è sparso senza interrompimento di colline sopra un suolo di bella terra vegetale argillo-arenosa.

Vedevansi molte palme, i liliacei, e diverse piccole piante tutte fiorite; osservai molte terre seminate, e piantagioni di popponi, di fichi, e di altri alberi fruttiferi. Questo spettacolo mi fu di grata sorpresa dopo tanto tempo che più non vedevo che terreni incolti.

Il tempo fu sempre coperto. Alle sette il termometro segnava 13°, e l'igrometro 98°. Il vento spirò costantemente da S. O.

Il cheik o capo del vicino dovar mi regalò un montone, molto latte, frutti, polli, ed orzo. La tribù è composta di due rami: Oulèd-el Faràch, ed Oulèd-Emhhammed.

Domenica 18.

Alle quattro del mattino pioveva dirottamente , e continuò fino alle otto ed un quarto; quando essendosi alquanto rischiarato il cielo, si ponemmo in viaggio prendendo la direzione S. S. O. Alle dieci meno un quarto passammo per un gran mercato che si tiene ogni domenica in vicinanza di alcune cappelle; ed a mezzogiorno, dopo esserci riposati un istante, si ripigliò la strada verso il S. 1/4 S. E. e si rialzarono le tende presso un dovar alle quattro della sera.

Il paese presenta a principio alcune collinette d'un eguale altezza, in appresso grandi pianure chiuse al sud da un alta montagna distante sei in otto leghe; e da altre ancora più lontane al S. E., ed al S. 1/4 S. O.: io suppongo che queste montagne siano una diramazione di quelle di Tetovan, e di quelle che vedonsi stando sulla strada di Fez; ma qui molto più alte, forse perchè più vicine alla grande Cordelliera dell'Atlante.

Il suolo è composto di terra vegetale rossa alquanto arenosa, che forma uno strato assai alto. L'arena, ed il quarzo contengono molto feldspato rosso radiato. Proviene questo dalle vicine montagne che forse sono di granito?... Io non posso assicurarlo, perchè tutte quelle che io vidi sono montagne calcaree secondarie.

La vegetazione era vivacissima; ed io osservai con piacere molti campi di biade, di cocomeri, di fave, e di altri grani.

Il giorno fu perverso: cadde molta pioggia accompagnata da gagliardo vento, che talvolta obbligava la carovana a fermarsi. Alla fine il tempo si abbonacciò. Alle sei della sera il termometro segnava 12° 8, l'igrometro 100°. Il vento spirò da S. O., e le nubi si spezzarono.

Lunedì 19.

Alle sette ore e mezzo del mattino eransi già levate le tende, ed io m'ero posto in cammino dirigendomi verso l'alta montagna veduta jeri, alle di cui falde arrivammo a mezzo giorno meno un quarto. Si piegò al S. 1/4 S. O., ed alle tre ore e tre quarti scopersi le sommità di molte montagne che ci stavano in faccia al sud. Uno de' miei domestici mi disse che Marocco era situata poco più in qua della più alta montagna, che vedevasi mezzo coperta di neve. Alle quattro ed un quarto si fece alto.

Da principio si attraversarono alcune pianure di dove scoprivansi le sommità delle alte montagne a grandissima distanza. Alle dieci s'incominciò a salire le più vicine che chiudevano successivamente l'orizzonte: ed avvicinandoci lentamente alla più alta si trovò meno alta di quel che sembrasse la vigilia. Si viaggiò in seguito lungo una valle in cui si attraversarono tre ruscelli; e salito sopra un eminenza, scopersi un altro orizzonte formato di collinette che andavano a terminare in grande distanza nella catena del monte Atlante, che tagliava l'orizzonte in tutta la parte del sud; di dove si staccavano quattro grandi masse gigantesche quasi affatto isolate. Quale sensazione provai io trovandomi, in vista di questa famosa catena...!

La terra vegetale non era diversa da quella d'jeri. Trovai in seguito delle roccie calcaree nella prima costiera; l'alta montagna era tutta da cima a fondo composta d'argilla ardesiata, e d'ardesia argillosa, formando transizione all'ardesia per il coperto in istrati orizzontali. Il terreno fu costantemente calcareo, ed arenoso; ma alle quattro della sera mi trovai sopra un vero strato di roccia granitica. Mi affrettai di esaminarla, e trovai che era granito ma già passato allo stato di decomposizione per la conversione del feldspato in terra argillosa. Il suo colore è rossiccio con un poco di mica cristallizzata in specchietti; il grano inegualissimo passa dal grosso grano al piccolo grano, e da questo al fino. Queste roccie continuarono fino al luogo del nostro accampamento; e mentre alzavansi le tende io salj sopra una rupe, di dove ebbi la soddisfazione di contemplare con tutto comodo le masse colossali che innalzavansi in faccia mia.

La vegetazione era assai ritardata; e non vidi in tutto il giorno verun terreno coltivato.

Mi fu detto che l'alta montagna, alle di cui falde eravamo passati serviva d'abitazione ad alcuni santi eremiti. Vidi molte persone, ed una donna, che supposi essere pure una santa.

Non trovai che un solo villaggio, ed il luogo in cui eravamo poteva dirsi un vero deserto.

Martedì 20.

Si riprese la strada alle otto del mattino dirigendoci al S. Dopo avere attraversati tre piccoli ruscelli, si fece alto a quattr'ore e mezzo presso ad un dovar poco lontano da alcune montagne.

Il luogo in cui ci trovavamo era sparso di ciottoli di diaspro bianco.

La vegetazione non aveva nulla di seducente, tranne alcuni tratti di terreno coperti di fiori.

Il tempo si mantenne bello fino alle due dopo mezzogiorno, quando ci sorprese una burrasca di pioggia e vento. Alle sett'ore della sera il termometro segnò 14° e l'igrometro 78°. Il vento soffiava dall'O., ed il cielo era carico di nubi.

Mercoledì 21 marzo 1804.

Alle sette e mezzo si levarono le tende, camminando sempre al S., e s'incominciò poco dopo a salire le montagne. Alle nove ore essendo giunto sulla sommità, vidi perfettamente la città di Marocco. Scesimo bentosto; ed alle dieci eravamo sulla pianura detta di Marocco.

A mezzo giorno ed un quarto arrivai al lunghissimo ponte sul quale si passò il fiume di Tensit. Feci far alto fino ad un'ora e mezzo, e poco dopo entrai in città termine del mio viaggio.

Il paese percorso presenta prima una montagna, in appresso piani che stendonsi fino alla Cordelliera dell'Atlante al S. e S. E., ed all'O. non ha limiti.

Il terreno della montagna è composto d'ardesia argillosa, e d'ardesia è il coperto con molto schisto micaceo, che sorte dal terreno in istrati sottilissimi ardesiati perpendicolarmente, che scomponendosi pel contatto dell'atmosfera, rimangono isolati, ed hanno l'aspetto d'un cimitero immenso con pietre sepolcrali situate a perpendicolo.

CAPITOLO XIV.

Arrivo a Marocco. - Generosità del Sultano. - Semelalia. - Partenza del Sultano. - Viaggi di Ali Bey a Mogador. - Saarra. - Mogador. - Feste pubbliche. - Ritorno a Marocco.

Il Sultano, Muley Abdsulem, e tutti gli amici che avevo alla corte mostraronsi assai contenti del mio arrivo. Appena avutone avviso, il Sultano mi mandò una provvisione del latte della sua tavola come una prova del suo affetto; e lo stesso fece Muley Abdsulem. Andai a visitarlo il susseguente giorno, e ricevetti nuove testimonianze d'amicizia e di stima, che raddoppiò in progresso.

Pochi giorni dopo il Sultano si degnò di accordarmi poderi considerabili, col di cui prodotto potevo sostenere il mio rango indipendentemente dai fondi ch'io possedeva. Ero nei miei appartamenti quando uno de' suoi ministri si presentò, consegnandomi un firmano col quale il sultano mi donava in assoluta proprietà una casa di piacere, nominata Semelalia, con molti terreni coltivati ad uso di orto, e con piantagioni di palme, d'ulivi ec.; ed inoltre una gran casa in città detta casa di Sidi Benhamèd Duquèli.

Il palazzo e le piantagioni di Semelalia erano opera del Sultano Sidi Mohamed padre di Muley Solimano, che soleva farvi l'ordinaria sua dimora. Vi aveva fatti piantare i più belli e migliori alberi fruttiferi, ed aggiunti deliziosi giardini. Un'abbondante vena d'acqua condotta con magnifici acquedotti dal monte Atlante, aggiunge amenità a quest'abitazione circondata da terreni chiusi da vasta muraglia che si stende più di mezza lega: il podere e le palme sono al di fuori del ricinto, che non contiene che giardini di piacere, orti, ed ulivi.

Grande è la casa di città fatta fabbricare ed abitata un tempo da Benkamed Duquèli ministro favorito, che tenne lungo tempo le redini dell'impero. Regolare è l'architettura dei bagni, e di una porzione della casa, e non priva di eleganza; ma il rimanente, quantunque vasto, non ben risponde al totale. Io conservo la proprietà di questi beni in forza del firmano datato il 29 doulhaja dell'anno 1218 dell'egira (11 aprile 1804) che me ne assicura il godimento.

Tra pochi giorni il Sultano che voleva recarsi a Mequinez, bramando di rendermi aggradevole la dimora nel suo impero, determinò ch'io andassi a Sovèra o Mogador, per fare una gita di piacere: ed in conseguenza ordinò che i tre pascià delle provincie d'Hthahha di Scherma, e di Sous, si riunissero colle loro truppe a Mogador.

In conformità delle intenzioni del Sultano, io sortj da Marocco il giovedì 26 aprile a mezzogiorno, viaggiando al S. O. ed all'O. S. O. Alle quattr'ore traversai un piccolo fiume ed un'ora dopo l'Enfiss, e feci alzar le tende sulla riva sinistra.

Il paese è una vasta pianura senza confine all'est, ed all'ouest, chiusa al nord da piccole montagne, ed al sud, ed al sud est dalla catena dell'Atlante. Il suolo è calcareo-arenoso, ed è un vero deserto senz'altri esseri organici apparenti, che bassi cespugli e pochi lecci. Il tempo fu tranquillo e sereno, ed il caldo orribile.

Il mio campo era formato di cinque tende: la mia, una per i miei fakih, un'altra per la cucina, una quarta per i domestici, e l'ultima per la mia guardia, composta di un caporale, e di quattro soldati negri della guardia a cavallo del Sultano. Avea lasciato a

Marocco i miei equipaggi e la mia farmacia, di che n'ero dolente, trovandomi alquanto indisposto.

Venerdì 27.

Mi rimisi in cammino alle otto ore del mattino dirigendomi al S. O., ed all'O. S. O.: alle undici passai un piccolo fiume, ed alle cinque della sera avendo attraversato il fiume Schouschàoya, che come gli altri scorre dal S. O. al N. O., mi accampai sulla sponda sinistra. Il paese rassomiglia a quello percorso jeri. La catena dell'Atlante s'allontana, ed una delle sue ramificazioni assai più basse termina l'orizzonte al S. Al dopo pranzo alcune collinette rompevano la eguaglianza del piano, ed al N. vidi una montagna che parvemi isolata. Il terreno è composto d'una marna argillosa abbastanza dura. Nè la vegetazione era diversa da quella di jeri, tranne sulle rive del fiume, che sono coperte di bellissimi orti, e che sembraronmi assai popolate. Molte donne col volto scoperto lavavano al fiume.
Il mio male s'accrebbe. Mi trovavo a sette gradi e mezzo dal tropico: il tempo era infernale; ed essendo privo di medicinali ebbi timore che la

malattia si rendesse seria.

Sabato 28.

Malgrado la mia indisposizione feci partire la mia gente alle otto ore del mattino, dirigendoli all'O., ed in appresso all'O. S. O. Mezz'ora dopo mezzogiorno si passò in vicinanza di poche case e di alcune cappelle chiamate Sidi Moktard. Alle quattro ritrovai altre case disperse come fattorie o poderi. Giunto alle cinque in vicinanza di una di queste abitazioni, situata accanto di un dovar, e presso ad un ruscello, allettato da questa bella posizione, feci far alto, e prender riposo.

Il terreno presenta a principio della marna mista di terra argillosa rossa, ed in seguito roccie calcaree coperte d'uno strato sottile di terra vegetale seminata d'un'infinita quantità di ciottoli calcarei, e di alcuni sassi quarzosi.

Il paese era piano da principio, ma dopo mezzogiorno convenne salire e scendere varie colline, in mezzo alle quali alzaronsi le tende.

Il tempo fu coperto, e faceva un vento d'O. alquanto fresco; lo che mi fu di non piccolo sollievo. Bevei molta limonata, e questa bevanda rinfrescativa mi giovò assai. La vegetazione assai povera la mattina, mi presentò avanti sera campi seminati, ed alberi fioriti.

Domenica 29.

Levatosi il campo ci ponemmo in cammino alle otto ed un quarto del mattino verso l'O., ed in appresso verso O. S. O. fino alle quattro della sera che si fece alto.

Il paese è tutto sparso di bellissime montagnette sulle quali vedonsi moltissime case isolate; ciò che gli dà una qualche rassomiglianza colle montagne della Svizzera; ma sgraziatamente ve ne sono molte cadenti. Dalla sommità di alcune montagne scopersi un vasto paese montagnoso al N. ed al S. Alle tre ore dopo mezzogiorno vidi il mare, e la costa di Mogador.

Il terreno è composto di roccie calcaree coperte d'uno strato leggero di terra vegetale, egualmente calcarea ed arenosa.

Rigogliosissima era la vegetazione. Mietevasi l'orzo, e vedevansi molte piante fiorite; ma ciò che più mi sorprese, fu la moltiplicità degli alberi, nel paese chiamati argàn.

Quest'albero prezioso si moltiplica da se medesimo senza aver bisogno di coltura; cosicchè non altro resta a farsi che raccoglierne i frutti: è una specie d'ulivo grossissimo, da cui se ne ritrae olio in abbondanza, bonissimo a tutti gli usi. Benchè mi sia proposto di dare a parte la descrizione delle piante, la somma utilità di questa mi sforza a dirne qui alcune cose.

Sembra che Linneo mettesse questa pianta o nel genere ramnus, o nel sideroxilus, e la chiama rhamnus siculus nel suo Sistema, e sideroxilus spinosus nel suo Erbario. Il dotto botanico Driander gli dà il nome di rhamnus pentaphillus, ma il sig. Schousboe console del re di Danimarca a Marocco, che ha esaminate le piante del paese con assai più di attenzione che non erasi ancora fatto prima, si determinò a seguire i botanici Retz, e Wildenow, che la chiamarono elaeodendron argan.

La descrizione del sig. Schousboe è senza dubbio più completa di tutte le altre, e non vi si trovano che alcune leggere differenze indicate in altra mia opera scientifica. L'albero, quand'io lo vidi, era in piena fruttificazione. È spinoso, e trovasi sul frutto una grande abbondanza di certo glutine resinoso, di cui forse la chimica potrebbe cavarne profitto. La sua polpa, dopo averne estratto l'olio, è un eccellente alimento per i buoj. Avvi in questo luogo un bosco di dieci in dodici giornate di viaggio nella direzione N. e S. ove la mano dell'uomo non si occupa d'altro, che di raccoglierne i frutti. Non sarebbe possibile di renderlo indegno de' paesi meridionali dell'Europa? Ciò, a mio credere, sarebbe più utile che l'acquisto d'una provincia.

Lunedì 30 aprile

Ci movemmo alle dieci ore e mezzo del mattino dirigendoci all'O. S. O. Un'ora dopo usciti dal bosco si cominciò a camminare sull'arena in mezzo a molte colline di sabbia sciolta, e poco dopo il mezzogiorno arrivammo a Sovèra o Mogador, meta del viaggio.

Il paese aveva il medesimo aspetto di quello di jeri. Si entrò in un piano di sabbia che è veramente un piccolo sàhharra, nel quale il vento prende una sorprendente rapidità; la sabbia è tanto sottile, che forma sul terreno le onde come quelle del mare; e queste onde sono tanto considerabili, che in poche ore una collina di venti o trenta piedi d'altezza può essere trasportata da un luogo all'altro. A questo fenomeno che parevami poco probabile dovetti dare intera fede, quando ne fui testimonio: ma questo trasporto non si eseguisce all'istante, come viene comunemente creduto, nè è capace di sorprendere, e di seppellire una carovana che cammina. Il vento levando continuatamente la sabbia dalla superficie, si vede abbassarsi sensibilmente di più linee ad ogni istante. Questa quantità di sabbia che va sempre più addensandosi in aria per le successive ondate, non potendo sostenersi, cade e s'ammucchia, formando una nuova collina; ed il luogo che occupava poc'anzi vedesi affatto piano e senza la menoma traccia di quello che era un istante prima. La quantità di sabbia levata dal vento in aria è tale, che conviene attentamente evitare di averla direttamente in faccia, e sopra tutto difenderne almeno gli occhi e la bocca. Questa seconda sahharra può avere circa tre quarti di lega di larghezza ove si attraversa; e conviene attentamente orizzontarsi, onde non ismarrirsi negli andrivieni che devono farsi in mezzo alle colline di sabbia che limitano la veduta, e cambiano di luogo con tanta frequenza, che non vedesi che cielo e sabbia senza alcun'orma che possa diriggerci; perciochè all'istante che l'uomo o il cavallo alza il piede, per profonda che ne sia l'impronta. viene in sull'istante colmata affatto.

La grandezza, la rapidità, la continuazione delle ondate confondono in modo la vista degli uomini e degli animali, che si cammina quasi a tentoni. In questo luogo il camello ha un grande vantaggio, perchè portando il suo collo perpendicolarmente alzato, viene ad avere il capo al di sopra dalla più densa ondata; i suoi occhi sono difesi dalle sue grandi palpebre semi-chiuse ed armate di densi peli; le vestigia de' suoi passi sono poco profonde per la grandezza e la configurazione de' suoi piedi fatti a guisa di cuscinetti; le sue lunghe gambe gli danno modo di fare lo stesso cammino facendo meno passi di un altro animale, e per conseguenza dura assai minor fatica degli altri. Questi avvantaggi gli danno un andamento fermo e facile in un suolo ove gli altri animali sono forzati di andare a passi lenti e corti, reggendosi a stento;

talchè li camello destinato dalla natura a questo genere di viaggi è un nuovo motivo di lode verso il creatore, che diede il camello all'Affricano, e la renna al Lapone.

La città di Sovèra che trovasi sulle carte col nome di Mogador fu fabbricata dal Sultano Sidi Mohamed padre del Sultano attuale. La sua forma regolare, i suoi edificj di una conveniente altezza, le danno un assai vago aspetto per una città d'Affrica: bello è il mercato maggiore circondato di portici; e, quantunque alquanto anguste, sono abbastanza belle ancora le contrade tirate a filo. Le sue mura difese da alcuni pezzi di cannone la assicurano dalle incursioni degli Arabi. Si è alzata una batteria verso il mare che lo batte di fronte; ma sgraziatamente le cannoniere sono disposte in maniera che i cannoni, non si possono far giuocare che con estrema difficoltà. Questa batteria è provveduta ancora di alcuni mortai, e di due petriere. L'estrema piattaforma dalla banda di mezzogiorno forma un angolo o fianco armato di un grosso cannone che batte la bocca del porto, il quale vien formato dal canale che divide dalla città un'isola posta al S. O. Mi fu detto che non è molto sicuro, pure vi osservai ancorata una fregata inglese. All'ingresso del porto vi è pure una batteria più alta dell'altra: e tra le due batterie vi sono dei grandi magazzeni assai ben fatti.

L'isola che forma il porto può avere un miglio di diametro, ed è lontana un mezzo miglio dalla terra. Viene difesa da alcuni pezzi di cannone, e serve alla custodia dei prigionieri di stato.

A fronte delle sue fortificazioni questa città non potrebbe sostenersi contro un attacco un poco ostinato, perchè non ha che le acque del fiume lontano più di un miglio.

Il soggiorno di Sovèra è molto triste, trovandosi circondata da un deserto di arena mobile, che non permette di passeggiarvi, e non avendo verun giardino. In distanza di mezza lega sonovi però alcune montagne coperte di macchie di argani, che vi prosperano assai.

Risiedono a Sovèra alcuni vice-consoli e negozianti di diverse nazioni Europee, che vi formano come una colonia resa numerosa dai negozianti Giudei del paese. Questi vi godono maggiore libertà che in tutt'altro luogo dell'impero, fino a poter vestire all'europea, e vivere come gli altri negozianti stranieri. Sono perciò più ricchi degli Ebrei delle altre città; ma di tratto in tratto pagano questi vantaggi con terribili avanie.

Ne' dieci giorni che rimasi a Sovèra il tempo fu sempre variabile; ma potei farvi esatte osservazioni, che mi diedero la latitudine di 31° 32′ 40″ al N., e la longitudine O. di 11° 55′ 45″ dell'osservatorio di Parigi.

In questi dieci giorni i tre pascià ch'erano qui colle loro truppe mi diedero lo spettacolo delle corse dei cavalli, e delle scaramuccie, nelle quali rappresentavano i loro combattimenti coll'esercizio delle armi a fuoco, consumando molta polvere, e facendo molto fracasso. Un giorno mi condussero nel palazzo del Sultano, posto nelle montagne in mezzo ad una foresta, ove mi fu dato un magnifico pranzo. Tornando alla città avevamo intorno più di mille uomini a cavallo che facevano delle corse e delle scaramuccie. Si visitò un palazzo che il Sultano Sidi Mohamed aveva fatto fabbricare in una pianura di sabbia. Dopo averne osservato l'interno, vidi, nell'atto che si usciva, una camera chiusa: ordinai di aprirla, ed entratovi dentro col pascià, trovammo un falcone, ch'eravisi senza dubbio introdotto per un buco; lo feci prendere e lo portai meco. Pochi istanti dopo il corteggio si pose in cammino, ed attraversammo il fiume poco profondo. Un soldato che mi era vicino scoprì un grosso pesce lungo due piedi e mezzo, ch'era stordito per il passaggio della cavalleria; lo ferì colla sua spada, e me lo presentò. Non saprei ben dire quali e quanti felici presagi, si motivarono sulla preda dell'uccello e del pesce....

Terminati questi divertimenti, cui prese parte anche il popolo di Mogador, ripresi la strada di Marocco scortato da quindici cavalieri sotto il comando di un ufficiale. In tale circostanza incominciai a far uso dell'ombrella, privilegio esclusivo del Sultano, de' suoi figli, e fratelli, e vietato a qualunque altra persona.

Rifeci il cammino praticato nella venuta; e perchè preceduto dal mio nome, tutti gli abitanti dei dovar vicini alla strada, stavano aspettandomi per complimentarmi. Gli uomini d'arme a cavallo schierati in linea erano i primi, e mi salutavano con una riverenza accompagnata dal grido Allàh iebàrk òmor Sidina, Dio benedica la vita del nostro signore, venivano appresso i vecchi, ed i fanciulli, che mi salutavano presentandomi un vaso di latte all'ordinario agro, perchè si costuma così; ed io lo assaggiavo come voleva l'usanza. Tutti mi scongiuravano a rimanere nel loro paese; le donne nascoste dietro la tenda, o dietro le grotte facevano eccheggiare i contorni colle loro acute grida d'applauso. Siccome questi saluti ripetevansi ad ogni istante, perchè gli abitanti accorrevano da luoghi assai lontani, sarebbe inutile l'avvertire ch'io non potevo accettare tutti gl'inviti. Chiedevanmi allora una preghiera; io la faceva, ed essi mi attestavano la loro riconoscenza colle corse de' cavalli, e colle salve de' loro fucili.

Quando arrivavo nel luogo destinato a passarvi la notte, dopo le medesime ceremonie, e quando io ero di già accampato, tutti i notabili della tribù, o del dovar venivano una seconda volta, preceduti dallo scheik, e dai principali abitanti, che due a due conducevano un grosso montone tenendolo per le corna, e me lo presentavano; altri recavano del couscoussou, orzo, polli, frutta ec. che consegnavano al mio maestro di casa. Io invitavo i principali a prender meco il tè; ed essi mi tenevano compagnia una mezz'ora od un'ora al più; dopo di che ritiravansi orgogliosi dell'ospitalità ch'io aveva accordata, e del grazioso accoglimento loro fatto.

La mattina nell'atto della partenza ricominciavano le corse de' cavalli, le archibugiate e le grida della femmine; e per tal modo mi ricondussi fino a Marocco il martedì 15 di maggio.

FINE DEL TOMO PRIMO.

Milton Keynes UK
Ingram Content Group UK Ltd.
UKHW050715181023
430769UK00009B/321